Para

com votos de paz

/ /

DIVALDO FRANCO
pelo Espírito **JOANNA DE ÂNGELIS**

LUZ NAS TREVAS

SALVADOR
1. ed. – 2021

© (2018) Centro Espírita Caminho da Redenção – Salvador, BA.
1. ed. (5ª reimpressão) – 2021
500 exemplares (milheiro: 19.500)

Revisão: Lívia Maria Costa Sousa
    Adriano Mota Ferreira
Editoração eletrônica: Ailton Bosco
Capa: Cláudio Urpia
Coordenação editorial: Lívia Maria Costa Sousa
Produção gráfica:
LIVRARIA ESPÍRITA ALVORADA EDITORA
Telefone: (71) 3409-8312/13 – Salvador, BA.
E-mail: <leal@mansaodocaminho.com.br>
Homepage: <www.mansaodocaminho.com.br>

Dados Internacionais de Catalogação na Publicação (CIP)
(Catalogação na Fonte)
Biblioteca Joanna de Ângelis

F825	FRANCO, Divaldo Pereira. *Luz nas trevas.* 1. ed./ Pelo Espírito Joanna de Ângelis [psicografado por] Divaldo Pereira Franco. Salvador: LEAL, 2021. 200 p. ISBN: 978-85-8266-196-3 1. Espiritismo 2. Reflexões morais 3. Autoiluminação I. Franco, Divaldo II. Título CDD: 133.93

DIREITOS RESERVADOS: todos os direitos de reprodução, cópia, comunicação ao público e exploração econômica desta obra estão reservados, única e exclusivamente, para o Centro Espírita Caminho da Redenção. Proibida a sua reprodução parcial ou total, por qualquer forma, meio ou processo, sem a expressa autorização, nos termos da Lei 9.610/98.

Impresso no Brasil
Presita en Brazilo

SUMÁRIO

Luz nas trevas   7

1. Uso da palavra   13
2. Responsabilidade espiritual   19
3. Ditadura da perversidade   25
4. Lei de Sintonia   31
5. O Reino dos Céus   37
6. A bênção do silêncio   43
7. Sofrimento e amor   49
8. As bênçãos da alegria   55
9. Vitória da luz   61
10. Sou jovem...   67
11. Juventude e conhecimento   73
12. Obstáculos desafiadores   79

13.	Borrascas e harmonia	85
14.	Aferição de valores	91
15.	Trabalho dignificante	97
16.	Libertação	103
17.	Canção da imortalidade	109
18.	Não somente	117
19.	Glória incomum	123
20.	A força do amor	129
21.	Compromissos para com a vida	135
22.	Interferências espirituais	141
23.	Convivência com Jesus	147
24.	Vícios perturbadores	153
25.	Dores e bênçãos	159
26.	Esperança de plenitude	165
27.	Impedimentos	171
28.	Sobre a dúvida	177
29.	Reencontros	183
30.	Testemunhos à fé	191

Luz nas trevas

Desde o início da Era Industrial, as criaturas humanas pensaram que a conquista tecnológica e a substituição da mulher e do homem pelas máquinas dar-lhes-iam dignidade, ao mesmo tempo que lhes *ensejaria* mais tempo para a cultura, o repouso, a convivência social.

Certamente, houve uma melhora considerável para a sociedade. Além da produção em massa, barateando as atividades, proporcionando mais conforto e comunicação mais rápida, facultou mais desenvolvimento técnico e libertou os seres de males que permaneciam *avassaladores*...

A evolução fez-se geométrica e, rapidamente, alcançou patamares dantes jamais imaginados no processo do conhecimento da vida e dos seus incontáveis enigmas.

Chegou-se à Astrofísica para melhor entender-se o Universo e à Física Quântica para penetrar-se nas micropartículas e assim *defrontar* a energia em todas as expressões.

O cosmo alargou os seus horizontes, e o infinito surpreende a cada momento graças aos *radiotelescópios*, assim como aos foguetes e naves espaciais que vagueiam em diferentes direções na busca de respostas para o entendimento humano.

As informações viajam com velocidade inacreditável, podendo-se acompanhar acontecimentos nos mais diferentes pon-

ENSEJAR
Dar ensejo a, apresentar a oportunidade para; ser a causa ou o motivo de; possibilitar, justificar.

AVASSALADOR
Que oprime, subjuga a mente, o espírito; que avassala; opressor; que arrasa; devastador.

DEFRONTAR
Colocar(-se) ou estar diante de.

RADIOTELESCÓPIO
Aparelho us. em radioastronomia para investigar zonas espaciais inacessíveis aos telescópios ópticos, e que serve para detectar e analisar as emissões radioelétricas emitidas de fontes cósmicas de rádio; astroantena.

tos do planeta e fora dele, desde que haja equipamentos propiciadores para tanto.

Apesar das indiscutíveis e fantásticas aquisições, têm sido inevitáveis as agressões à Natureza, o grave problema do lixo nuclear, a poluição da atmosfera, dos rios e dos mares, o desmatamento perverso, o crescente aniquilamento de espécimes de vida e as guerras insanas que atormentam a Humanidade...

Infelizmente não houve a preocupação de manter-se a ética saudável, que foi devorada pelas ambições superlativas, e a ganância de uns vem escravizando outros, numa paisagem humana paradoxal: poder e submissão, glória e desgraça, abundância e escassez, vida e morte...

O homem continua "lobo do homem", no seu desvanecimento incontrolado, e os fantasmas do desespero ameaçam países de miséria irrecuperável, enquanto outros navegam nos mares do desperdício e da extravagância.

As filosofias utilitaristas e pervertidas alucinam os jovens, os adultos e alguns macróbios, em tentativas de reduzir os seus adeptos no jogo das paixões mais sórdidas ao tormento da depressão, do suicídio, da inutilidade, das vidas vazias.

As religiões, por sua vez, em grande número, para estarem de bem com as massas aturdidas, substituem o Reino dos Céus pelos lucros da Terra, cultivam e estimulam o desplante de negociar com Deus, em espetáculos ridículos de fé orquestrada pela presunção e disparates típicos da sociedade em decadência.

Jamais houve tantas fascinantes conquistas exteriores e simultâneos desastres íntimos nos santuários do Espírito.

Multidões que enlouquecem no gozo traiçoeiro das festividades coletivas, nas praias ensolaradas, nos banquetes faustosos e envenenados pelo orgulho e pela soberba, conciliábulos criminosos, em fuga da realidade e convites inumeráveis às aberrações...

A miséria socioeconômica cresce avassaladora, apesar de providências de organizações mundiais e pessoais para diminuir-

---

SUPERLATIVO
Elevado ao mais alto ponto ou grau.

MACRÓBIO
Que ou aquele que chegou à idade muito avançada.

DESPLANTE
Atitude audaciosa, atrevida; atrevimento, insolência, ousadia, desfaçatez.

FAUSTOSO
(M.q.) Fastuoso; que contém fasto ou fausto; aparatoso, pomposo, magnificente.

CONCILIÁBULO
(Por ext.) Conspiração, trama, conluio.

lhes a *penúria*, com programas para salvar-lhes vidas *estioladas*, sem os correspondentes resultados de progresso, desenvolvimento, diminuição do sofrimento.

A noite moral alastra-se avassaladora em toda parte, e os tormentos predominam nas paisagens humanas.

Para onde caminha a Humanidade?

Milhões de estudiosos preocupados com os rumos desastrosos da atualidade apresentam programas cuidadosos para a solução dos problemas, ou pelo menos a diminuição deles, sem que sejam alcançados os objetivos ideais.

Brilham na imensa treva estrelas *lucilantes*, que são os missionários do amor em entrega terrestre em benefício da paz e do amor, anunciando claridades que virão.

PENÚRIA
Privação ou ausência daquilo que é necessário; escassez, pobreza.

ESTIOLADO
Que se estiolou; que sofreu estiolamento; debilitado; enfraquecido.

LUCILANTE
Digno de apreço, atenção; ilustre, notável.

Nosso modesto livro é um grito, um apelo à penetração da luz na escuridão das almas e do ambiente, objetivando contribuir com pequenas propostas psicoterapêuticas, oferecidas pelo Espiritismo, na interpretação do Evangelho de Jesus, o Homem-Luz, que ainda confia em nós e nos ama.

Ele não desiste de nós.

Não seria o caso de começarmos a pensar n'Ele e perseverarmos com Ele, revivendo a Sua ética e o Seu amor?

Não nos pede outra coisa que não seja a nossa felicidade.

Não se impõe nunca, embora esteja perto, aguardando.

D'Ele nos afastamos, fascinados com a ilusão, e Ele não mudou de atitude, embora a nossa *torpe* conduta.

Agora, cansados da larga noite por onde transitamos *trôpegos*, ei-lO chamando-nos mais uma vez, a fim de segui-lO.

TORPE
Que contraria ou fere os bons costumes, a decência, a moral; que revela caráter vil; ignóbil, indecoroso, infame.

TRÔPEGO
Que anda com dificuldade, que mal consegue mover os membros ou locomover-se; tropo.

Salvador, 1º de janeiro de 2018.
Joanna de Ângelis

"Com uma palavra, levanta o ânimo de alguém alquebrado, ilumina uma consciência obscurecida, facilita a movimentação de outrem paralisado."

Joanna de Ângelis • Divaldo Franco

1

USO DA PALAVRA

Instrumento de alto significado é o verbo que faculta a comunicação e a convivência entre as criaturas.

Jesus, o Excelso Mestre, abrindo a boca enunciou as mais belas palavras jamais ouvidas na Terra.

Tomou de um grão de mostarda, insignificante, e transformou-o num poema de singeleza, num hino de referência à fé.

Num entardecer inesquecível, num monte bordado de Sol poente, compôs a mais harmoniosa ode à Bem-aventurança, alterando a estrutura do pensamento sociopsicológico e comportamental da Humanidade.

Esse poema clássico modificou os sentimentos humanos e rompeu a cortina de sombras dos preconceitos do passado, enquanto exaltou os humilhados e perseguidos, os abandonados e esquecidos, os esfaimados e infelizes em geral, oferecendo-lhes a herança da paz e a fortuna do Reino dos Céus.

Não, porém, a todos, pois que existem aqueles rebeldes e vingativos que se não dispõem à transformação moral para melhor, ao aproveitarem a nobre provação.

Com o brilho de cada palavra, compôs as novas de alegrias que permanecem como o roteiro mais seguro para a vivência da plenitude.

SINGELEZA
Característica do que é singelo.

ODE
Poema lírico destinado ao canto.

ESFAIMADO
Que tem fome; faminto, esfomeado.

PLENITUDE
Estado do que é inteiro, completo; totalidade, integridade.

> **IRIDESCENTE**
> Cujas cores são as do arco-íris ou que reflete essas cores.

Utilizou-se das paisagens iridescentes e das coisas comuns, corriqueiras, para construir a sinfonia do Evangelho que ainda comove a sociedade terrestre.

> **CORRIQUEIRO**
> Que é usual, do conhecimento de todos.

Viveu a paz em todos os instantes e não aceitou as infelizes discussões dos hábeis insensatos dominadores de vidas e de consciências.

Cada vez que enunciava a palavra, havia um objetivo nobre antes não conhecido e, sem censurar, corrigia os equivocados e desculpava a ignorância em predomínio.

Os Seus silêncios enriqueciam de paz e de reflexão aqueles que O acompanhavam.

Até hoje o Seu verbo sublime vem merecendo cuidados e análises para se transformar em terapia valiosa para os enfermos do mundo.

Arrebanhou multidões com palavras simples aureoladas de amor, e todos quantos as ouviram, se não lograram penetrar-se do seu conteúdo, vêm reencarnando sob a musicalidade divina dos Seus conceitos, que tornam a sociedade melhor.

> **IMPUTAR**
> Atribuir (a alguém) a responsabilidade de (algo censurável); assacar.

Nunca Lhe puderam imputar a pronúncia de uma palavra perversa ou venenosa, vulgar ou degradante.

Todas eram elaboradas com o suave perfume da compaixão e do entendimento.

Toma-O como exemplo, silenciando quando não possas ajudar ou enunciando-a somente para socorrer.

> **MALSINAR**
> Dar má interpretação a; desvirtuar.

⚜

> **FOMENTAR**
> Estimular, promover, desenvolver.

Oradores exaltados e escritores enfermos, dominados pelo pessimismo, têm-se utilizado da palavra para malsinar, atormentar, promover o ódio e a perseguição, fomentar as guerras vergonhosas.

> **BELICOSO**
> Que tem inclinação para a guerra, para o combate; que faz guerra por vocação.

Alguns são responsáveis por crimes hediondos como consequência da mensagem belicosa e agressiva. Outros dizimaram vítimas incontáveis com as suas inflamadas dissertações. Diversos deixaram uma herança maldita de preconceitos e horrores, exteriorizando os conflitos que os martirizaram, feridos pela inveja da pureza, da ingenuidade, dos valores éticos.

Celebrizaram-se no mundo que detestavam, enquanto se locupletavam com o lucro das suas assertivas venenosas e amargas...

Arrependidos, após o despertar no Além-túmulo, rogam, em padecimentos quase insuportáveis, o mergulho nos tecidos da miséria orgânica ou social, econômica, na mudez ou surdez, a fim de resgatarem os crimes, impossibilitados de pensar, no presídio carnal em que se encontram.

A palavra é neutra na sua estrutura linguística. O uso que dela se faz dá-lhe sentido libertador e feliz ou torna-a ácido destrutivo que arde no íntimo daquele que a expressa.

Tem cuidado com a palavra.

Reflexiona em torno dos conceitos que emites, evitando que as paixões inferiores ocupem o espaço verbal, denegrindo ou levando suspeitas em relação aos outros ou a qualquer tema. Se não conheces o assunto, silencia e ouve. Se tens um conceito a seu respeito, mantém-te sereno e não o expresses, especialmente se é portador de conflitos e de acusações, de propósitos infelizes, que mais perturbam do que ajudam.

Aprende a usá-la para a edificação do bem e da Verdade.

Os comentários infelizes e difamadores que fazes complicam-te o futuro espiritual em razão do prejuízo que promoves.

Altera a tua óptica verbal, usando as tuas expressões com piedade e respeito pelo outro.

Se não puderes ajudar, não perturbes, nem cries animosidade contra o teu próximo.

DISSERTAÇÃO
Exposição oral; conferência, discurso.

MARTIRIZAR
Causar tormento a ou sofrer tormento; afligir(-se).

LOCUPLETAR
Tornar(-se) cheio; cumular, encher(-se).

ASSERTIVA
(M.q.) Asserção; afirmação categórica; assertiva, asserto.

ALÉM-TÚMULO
O que vem depois da morte, o além, a eternidade.

ROGAR
Pedir com insistência e humildade; suplicar, implorar, instar.

ÓPTICA
(Por mtf.) Ângulo sob o qual algo ou alguém é observado ou considerado; ponto de vista, perspectiva.

ANIMOSIDADE
Má vontade constante; aversão, rancor, ressentimento.

Com uma palavra levanta o ânimo de alguém alquebrado, ilumina uma consciência obscurecida, facilita a movimentação de outrem paralisado.

O que comentas com censura não é com certeza conforme vês e reprochas com acrimônia.

> REPROCHAR
> Fazer censura a; lançar em rosto de; exprobar.

De acordo com o teu estágio evolutivo, depreendes o que se passa a tua volta, o que não significa seja isso a realidade.

A maledicência é virose terrível que envilece as vidas.

> ACRIMÔNIA
> Comportamento indelicado; acridez, aspereza.

Seja tua a palavra de bondade, que intercede a favor, que ampara e ergue o ser infeliz às culminâncias da sua jornada.

⚜

> MALEDICÊNCIA
> Ação ou hábito de dizer mal dos outros; difamação, detração, maldizer.

Jesus e Suas palavras!

Medita nos Seus ditos e feitos, imunizando-te contra o mal que ainda se demora em ti, transformando-o em compaixão e solidariedade.

> ENVILECER
> Tornar(-se) vil, desonrar(-se).

Ninguém na Terra é incorruptível.

Somente Ele o conseguiu.

Faze tuas as palavras d'Ele e torna-te bem-aventurado também.

> BEM-AVENTURADO
> Que ou aquele que fez jus às bem-aventuranças divinas; que ou aquele que desfruta, na Terra ou no céu, das bem-aventuranças divinas.

"A aflição defluente do sofrimento
é o desconforto que se experimenta
chamando a atenção à ordem, à
disciplina, ao dever."

Joanna de Ângelis • Divaldo Franco

2

RESPONSABILIDADE ESPIRITUAL

Toda e qualquer atividade que se assume converte-se num dever que exige responsabilidade.

A existência física é portadora de múltiplos programas educativos que contribuem para o desenvolvimento intelecto-moral do Espírito.

A reencarnação, por isso mesmo, é sublime oportunidade para reparação de erros, correção de irregularidades, reabilitação moral. De acordo com a gravidade de cada ocorrência, há uma pauta específica de reequilíbrio lúcido, disciplinador e próprio para a felicidade.

Nesse capítulo, as dores e problemas de vária ordem constituem o processo terapêutico para a cura real, portanto, na origem do mal praticado. No entanto, a finalidade dos renascimentos não tem caráter punitivo, o que significaria um castigo à ignorância, pela qual se atravessa na sucessão dos acontecimentos.

A aflição defluente do sofrimento é o desconforto que se experimenta chamando a atenção à ordem, à disciplina, ao dever.

Tudo evolve.

VÁRIO
Pertencente a uma pluralidade de espécies, ou apresentando diferentes cores, formas etc.; sortido, variado.

DEFLUENTE
Que deflui, corre.

EVOLVER
Desenvolver-se gradualmente; passar por ou sofrer evoluções, transformar(-se); evoluir.

O ser humano, superando as fases iniciais das necessidades básicas, alcança os patamares da inteligência, da emoção, do discernimento.

Nesse período, todas as ações fazem parte do processo de futura iluminação, dando lugar às experiências da solidariedade, do amor e da lídima fraternidade. Em consequência, os atos produzem ressonância de onda equivalente, que promovem os valores inatos ou que perturbam as aspirações de plenitude.

> LÍDIMO
> Reconhecido como legítimo, autêntico.

Surgem as provas, os testemunhos, os necessários corretivos aos erros e as expiações com caráter severo e restritivo à movimentação.

Como a Lei de Amor é soberana, predomina no Universo, favorece a conquista da paz mediante a resignação durante a difícil aprendizagem evolutiva.

Utilizando-se das suas diretrizes afetuosas, reabilita o infrator, burila-lhe as imperfeições, emula-o ao avanço espiritual, sublima os instintos primários, enquanto aumentam as aspirações de paz e de bem-estar.

> BURILAR
> (Fig.) Tornar mais apurado; aprimorar, aperfeiçoar.

Alteram-se os focos existenciais, nos quais o primitivismo cede lugar ao aperfeiçoamento moral.

Servir, pois, é a meta da existência humana desde o momento em que se lhe detecta a finalidade imortalista.

Engajando-se no objetivo de viver-se com alegria e bem-estar, mesmo por ocasião das situações menos joviais, deve ser o comportamento ético de todo aquele que encontrou Jesus, o exemplo máximo de perfeição na Terra.

Esse despertar da Divina Essência interna constitui razão básica para a existência feliz, aumentando a responsabilidade do candidato à plenitude.

> HOLOCAUSTO
> (Por ext.) Sacrifício, expiação.

Não são impostos sacrifícios ou holocaustos, que podem ocorrer por necessidades especiais.

O cumprimento reto dos deveres de cidadania, de família, de consciência contribuem para a aquisição da responsabilidade espiritual.

⚜

Fascinado pela possibilidade de um mundo melhor e por uma sociedade justa e próspera, encontras no Espiritismo campo vasto a joeirar, a fim de o preparar para ensementar o amor.

Assumes compromissos com entusiasmo, dedica-te por algum tempo, e depois experimentas tédio ou desencanto.

Por que será? – interrogas.

Por falta de motivação, de afeto. Necessário se torna que te mantenhas entusiasmado em tudo quanto fazes. Coloca um toque de alegria nas tuas atividades e reflexiona no significado das tuas ações.

Não permitas que o automatismo te conduza ao trabalho que te induzirá à inércia ou à indiferença pelo que realizas.

O teu próximo precisa de ti, reencarnado ou não. Ele conta contigo, com a tua solidariedade, a tua assistência fraternal.

Ama-o conscientemente, o que fará um grande bem.

Atividades espirituais multiplicam-se à espera de dedicação.

Reuniões mediúnicas sérias exigem participantes conscientes e responsáveis para a sua execução.

Atendimento fraterno abre as portas do sentimento alheio à iluminação e à libertação de consciências.

A terapia dos passes aguarda comportamentos nobres e compadecidos para o socorro oportuno à aflição.

Divulgação doutrinária é indispensável dentro de padrões especiais para esclarecer e tocar os ouvintes que precisam encontrar o roteiro para a existência ativa e saudável.

JOEIRAR
Separar o joio do trigo com a joeira; separar (o mau) do bom, (o falso) do verdadeiro; aparar as arestas do caráter.

ENSEMENTAR
Lançar sementes a; semear.

INÉRCIA
(Fig.) Falta de reação, de iniciativa; imobilismo, estagnação.

Todos eles e outros mais serviços espirituais aguardam responsabilidade, consciência de dever.

O passe evoca Jesus atendendo as multidões e curando-as.

Se eleges a aplicação da bioenergia, torna-te digno de exercê-la, não apenas com a conduta moral e mental saudável, mas também com o sentimento de dever bem desenvolvido.

Não atues esporadicamente, como alguém descomprometido com a caridade fraternal.

Quando te candidataste, Espíritos guias interessaram-se em ajudar-te. Se perseveras com responsabilidade, eles ampliam os teus recursos terapêuticos e utilizam-se com amor e ternura. Se não cumpres o programa estabelecido, afastas-te do seu auxílio e ficas à mercê de outros, frívolos e levianos...

O passe é veículo das energias do Céu para apaziguar as dores terrestres.

Não te esqueças.

❖

Quando Jesus enviou Os Setenta da Galileia para que Lhe preparassem o caminho, concedeu-lhes a faculdade de curar, de afastar os Espíritos perversos e de enfrentar as dificuldades sob a Sua proteção.

E assim aconteceu.

Hoje, Ele te chama para que prossigas auxiliando o teu próximo e confia em ti, faculta-te o valioso recurso do passe.

ESPORÁDICO
Que ocorre poucas vezes e em alguns casos apenas; raro, disperso, espaçado, esparso.

FRÍVOLO
Que é ou tem pouca importância; inconsistente, inútil, superficial.

LEVIANO
Que ou aquele que julga ou procede irrefletida e precipitadamente, que ou o que age sem seriedade.

APAZIGUAR
Pôr(-se) em paz; pacificar(-se), aquietar(-se), acalmar(-se).

OS SETENTA DA GALILEIA
Discípulos enviados por Cristo, de dois em dois, a lugares aonde ele havia de ir, conforme (Lucas, 10:1-24).

"Somente a retidão e o caráter podem responder por uma existência saudável e realmente plena."

Joanna de Ângelis • Divaldo Franco

3

DITADURA DA PERVERSIDADE

Com muita habilidade, Espíritos perversos que se reencarnaram com a finalidade de tornar infelizes as criaturas humanas trazem as lembranças das regiões inditosas nas quais se homiziavam e propõem a cultura na qual se encontram, as terríveis doutrinas da degradação sob todos os seus aspectos.

Não há muito, eram as dominações das massas sociais por meio das guerras, que ainda continuam, das arbitrárias submissões às suas imposições apaixonadas, ao cativeiro econômico devastador...

Na atualidade, esse funesto fenômeno ocorre com mais vigor e perigo na intimidade dos sentimentos, procurando insculpir, especialmente nas consciências juvenis, os comportamentos inadequados e insanos, mas que propiciam momentâneas satisfações.

Trata-se de degradar a mente em formação de juízo e em discernimento através do livre-arbítrio ainda não amadurecido, a respeito dos prazeres que devem sempre ser vividos sem qualquer consideração ao próximo ou a si mesmo.

Atitudes extravagantes chibateiam a sociedade em nome da liberdade, como se esta, para desenvolver-se, necessitasse da agressividade e do vulgar.

INDITOSO
(M.q.) Desditoso; que ou o que foi atingido pela desdita; desafortunado, infeliz.

HOMIZIAR
Furtar(-se) à vista; esconder(-se), encobrir(-se).

DEGRADAÇÃO
Degeneração moral; aviltamento, depravação.

FUNESTO
(Por ext.) Que inspira tristeza, pesar, queixume; deplorável, lamentável.

INSCULPIR
(Fig.) Fixar(-se) na memória de (alguém); gravar (-se), inscrever(-se).

> **ASSELVAJADO**
> Com aparência e/ou modos selvagens; rude, abrutalhado.

Instintos asselvajados e condutas agressivas tomam conta das massas, e, em vez de serem instaurados no imo do ser conteúdos de respeito e de abnegação, apresentam-se aberrações que já deveriam haver sido anuladas nos grupos sociais graças ao natural e inevitável processo de evolução.

Autoridades que deveriam velar pela saúde moral do povo atrevem-se a ser as primeiras instaladoras de programas vulgares nos códigos da educação, apoiando ideias insanas que transformam as criaturas humanas em objeto de prazer.

Os comportamentos ancestrais são agredidos e malsinados de maneira rude, a fim de estimular-se o futuro com os novos e degenerados padrões que se lhes fixam no inconsciente.

Este é, sem dúvida, um momento que exige graves e demoradas reflexões, a fim de encontrar-se o antídoto correspondente, que esteja nas diretrizes firmes e libertadoras do Evangelho de Jesus.

> **INSIDIOSO**
> Que prepara ciladas; enganador, traiçoeiro, pérfido.

Insidiosos, esses Espíritos conquistam adeptos facilmente pelo discurso enganoso do prazer sem responsabilidade, pois que, para eles a experiência humana é uma viagem ao corpo para desfrutar sensações e consumir-se, logo após, no nada.

Tem cuidado com essa ditadura da perversidade.

⚜

> **INARMONIA**
> Ausência de harmonia; desarmonia.

Considera as condições físicas nas quais te encontras e não encontrarás qualquer tipo de desordem ou inarmonia nesta extraordinária máquina em que te movimentas. Se apresenta algum desajuste, assim está em razão do mau uso que dela fizeste.

A vida não é uma experiência sem sentido que ocorre ao azar das circunstâncias, mas um projeto muito elaborado que se prolonga na direção do Infinito e da perfeição.

Inúmeras etapas se apresentam nesse mapa complexo da evolução, proporcionando realizações que condicionarão o processo de aperfeiçoamento conforme o uso que se lhe faça em cada etapa.

O modelo original se vai aprimorando ou adquirindo imperfeições que necessitam ser corrigidas à medida que se a utilize.

Para tanto, é indispensável uma ética bem elaborada e corretora, em vez de se lhe agravar a constituição com mecanismos destrutivos de ordem mental e moral.

A existência física é uma dádiva de amor que nos é concedida para alcançar a plenitude, o estado numinoso.

Bilhões de anos foram aplicados pelas Leis Universais nas primeiras moléculas, a fim de permanecer o desenho ideal do ser integral.

Não te permitas encantar com os arranjos infantis, porque a fatalidade da vida sempre te colocará diante dos fatos que realizaste.

O período da juventude, por mais seja prolongado, é sempre rápido na contabilidade do tempo.

Busca rever os *astros* alucinados de um dia de luxúria e de um período de alucinação agora como se encontram.

Incontáveis naufragaram no oceano das drogas perversas, do álcool, na depressão e recuaram para os abismos da loucura, quando a morte por exaustão dos órgãos não os elimina de surpresa.

Por que a felicidade que decantavam tornou-se-lhes um desar?

Por que o sonho de plenitude pela extravagância se consumiu como um vapor tóxico?

Somente a retidão e o caráter podem responder por uma existência saudável e realmente plena.

NUMINOSO
Influenciado, inspirado pelas qualidades transcendentais da divindade.

DESAR
(M.q.) Desaire; revés da fortuna; desgraça, derrota.

PLENO
Que está completo, inteiro; que teve completo acabamento; perfeito.

> **MAGNIFICENTE**
> Que tem magnificência, esplendor, opulência; grandioso, suntuoso, rico.

Essa revolução que se te apresenta magnificente e rica de atrações e a nuvem que obnubila a visão te intoxicam a consciência, conduzindo-te ao autoaniquilamento.

> **OBNUBILAR**
> Tornar(-se) obscuro; escurecer(-se).

⚜

> **DIRETRIZ**
> (Fig.) Norma de procedimento, conduta etc.; diretiva.

Cuidando-te de escapar à sedução da loucura devastadora, organiza o teu esquema de vida mediante diretrizes de equilíbrio, sabendo que ninguém consegue burlar as Leis Universais, que controlam a vida.

> **BURLAR**
> Enganar através de artimanhas; ludibriar.

Toda construção material tem uma origem energética e, ao desfazer-se a carapaça, retorna a esse campo transcendental, no qual está a imortalidade do Espírito, que navega no oceano do Infinito.

Vive agora pensando no teu futuro promissor.

"Exercita o não revide, a não violência, a resistência pacífica. Esses elementos são o alicerce sobre o qual o Senhor está construindo o mundo melhor de amanhã."

Joanna de Ângelis • Divaldo Franco

4

LEI DE SINTONIA

O cidadão comum que preserva os valores éticos e comporta-se conforme a crença moral que lhe é agradável atrai, inevitavelmente, a presença dos bons Espíritos, que se comprazem em assistir-lhe.

Sendo possuidor de faculdade mediúnica, abrem-se-lhe as portas da caridade, que pode exercer mediante os sentimentos que lhe são naturais.

No caso em tópico, aqueles Espíritos inamistosos a princípio zombam do seu comportamento; logo depois, ante a natural demonstração dos atos dignificantes, sensibilizam-se, tornam-se-lhe simpáticos e aderem aos postulados de que se contagiam.

> **INAMISTOSO**
> Não amistoso; hostil.
>
> **ADERIR**
> Tornar-se adepto; juntar-se.

Trata-se da Lei de Sintonia, através da qual os semelhantes se atraem. A melhor terapêutica, portanto, para os graves problemas das desordens obsessivas é o bem proceder.

Quando examinamos a Mensagem de Jesus, identificamos em todos os momentos a superioridade do amor, que inspira os pensamentos e os atos nobres, induzindo a vivência saudável.

O amor, portanto, emite ondas de vibrações elevadas que ensejam a não violência, a resistência pacífica.

A tragédia do cotidiano entre as criaturas humanas deflui da inadvertência de pessoas e grupos que optam pela dominação arbitrária dos outros e tentam, a seu talante, submeter todos quantos se lhes acercam.

A Lei de Sintonia propõe a transformação moral do ser humano, e logo advêm as consequências pacíficas e pacificadoras.

No começo do século XX, Leon Tolstoi, que se houvera tornado cristão sem designação religiosa, mas conforme o Evangelho, acompanhando a miséria que reinava na sua pátria, a Rússia, escreveu uma carta ao czar Nicolau II, chamando-o de irmão e amigo para adverti-lo da crueldade do seu governo sobre os 100 milhões de súditos. Advertia-o das ciladas e das manobras dos seus auxiliares, daqueles que o cercavam, polícia e exército, informando-o não ser ele amado e aplaudido por aqueles miseráveis que o detestavam, no abandono e na fome a que estavam atirados...

Falou-lhe da força inexorável do amor e do bem que lhe cabia praticar na missão que Deus lhe confiara de conduzir o povo esfaimado e sofrido.

Vaticinou que, por certo, não teria ocasião de vê-lo sofrer as consequências da violência na qual se apoiava, com resultados devastadores, em razão da sua idade avançada.

Apelava para a bondade e a justiça, eliminando a pena de morte das leis severas que mantinham nos cárceres abarrotados mais de 100 mil prisioneiros tidos como revolucionários porque insatisfeitos com a maneira como eram tratados...

De fato, mais tarde, quando estourou a revolução comunista, ele foi deposto e enviado com a família para o exílio na Sibéria, sendo submetidos a inclementes humilhações, fuzilados, logo depois, num espetáculo doloroso.

Tolstoi houvera desencarnado antes e foi sepultado humildemente entre as árvores que ele próprio plantara, num singelo túmulo, tão humilde quanto ele, em Iásnaia Poliana.

Deixou-nos, entre outras, a sua obra, que ele considerava prima, *O reino de Deus está em vós*.

Nesse ínterim, na África do Sul, um jovem advogado indiano que lera a sua magnífica obra sobre a Mensagem de Jesus e o Reino dos Céus dentro de nós alterou a vida e dedicou-a, a princípio, a dignificar o seu povo odiado e perseguido naquele país. Preso e condenado por pedir igualdade para todos, iniciou a cruzada que terminaria por libertar a Índia e o Paquistão do cárcere do Império Britânico.

Tratava-se de Mohandas Karamchand Gandhi.

Viveu o Evangelho em toda a sua pureza, no amor e no jejum, na resistência pacífica, na oração e sobretudo em a não violência.

Assassinado por um fanático, chamou por Deus sorrindo e imortalizou-se.

Parece difícil, nestes dias, a vivência íntegra do amor, tais as circunstâncias e as conquistas bélicas, as forças da violência, o poder das armas... No entanto, nos dias de Jesus não eram diferentes as condições, e por isso Ele foi crucificado.

Tolstoi teve algumas das suas obras proibidas de circular nas terras da "Mãe Rússia", e a pobreza suprema a que ele se submeteu permitiu que fosse escarnecido e desprezado, tivesse problemas domésticos ao renunciar ao título de conde.

Gandhi, admirado e perseguido, insistiu nos objetivos a que entregou a existência e, conforme esperava, tornou-se vítima da violência, deixando o seu legado de paz que ainda comove o mundo.

Talvez não logres alcançar o nível desses missionários, o que não é importante, desde que te dediques ao humilde

---

ÍNTERIM
Intervalo de tempo entre dois fatos, ou entre o presente e um acontecimento no passado recente.

CRUZADA
Esforços em favor de uma ideia humanitária ou em defesa de um interesse.

ÍNTEGRO
Inteiro, completo; irrepreensível na sua conduta; honesto, incorruptível.

BÉLICO
Concernente à guerra ou ao belicismo; belicoso.

LOGRAR
Obter o que se tem direito ou que se deseja; alcançar, conseguir.

> **APLAINAR**
> (M.q.) Aplanar; tornar(-se) plano ou raso; nivelar(-se); resolver ou desembaraçar-se de (dificuldades, obstáculos etc.).

trabalho de aplainar a estrada, melhorar os caminhos por onde marcharão os apóstolos do amanhã que virão pacificar a Terra.

Faze a tua parte: ama!

Exercita o não revide, a não violência, a resistência pacífica.

Esses elementos são o alicerce sobre o qual o Senhor está construindo o mundo melhor de amanhã.

As tremendas provações que ora se abatem sobre a Humanidade: guerras, epidemias, violência, desagregação do ser, perda de sentido existencial atraem Espíritos também infelizes, que se mesclam com os indivíduos e as massas, provocando o caos.

A mesma Lei de Afinidade atrai os seres nobres da Espiritualidade, os gênios, os sábios, os mártires e os santos para a edificação da felicidade dos corações, mesmo durante estes afligentes momentos...

> **ASCENDER**
> Alçar-se, elevar-se em dignidade.
>
> **PÁRAMO**
> (Fig.) Abóbada celeste; céu, firmamento.

Pensa no amor e ascende aos páramos da Luz Divina, da qual procedes.

"O Reino dos Céus dentro do coração
será a conquista do mais precioso
tesouro da tua existência."

Joanna de Ângelis • Divaldo Franco

5

O REINO DOS CÉUS

Assertiva de Jesus a respeito do *Reino dos Céus dentro do coração* assume uma atualidade fascinante.

O ser humano é tudo quanto pensa, abrindo espaço vibratório e moral para a verbalização e a ação.

O dínamo cerebral é acionado pelo pensamento, que o vitaliza através de sucessivas ondas vibratórias que se originam no Espírito, consequência natural do seu estágio evolutivo.

No desenvolvimento intelecto-moral, as marcas do passado repontam dominadoras, como heranças dos hábitos a que se afeiçoaram naquelas existências. Cada qual, de alguma forma, revive as experiências a que se afeiçoou e viveu, aos hábitos em que se comprazia.

Naturalmente, ao ressumar das evocações, o comportamento exterioriza as situações emocionais saudáveis ou as perturbadoras defluentes.

Os transtornos emocionais e psíquicos são o efeito próximo das amargas realizações e agressividade passadas, refletindo-se como desordens do pensamento ou distonias psicológicas.

O equilíbrio, a lucidez, a alegria de viver reaparecem como páginas escritas com as letras da compaixão, do amor, do esforço pessoal, mediante a educação moral, favorecendo com incomum bem-estar.

VERBALIZAR
Ato ou efeito de verbalizar; expor, expressar verbalmente.

DÍNAMO
Gerador; aquilo que impulsiona, que gera o progresso.

RESSUMAR
(Fig.) Manifestar(-se) de maneira evidente; revelar-se.

DISTONIA
Perturbação do estado de vigor ou atividade de um órgão ou de um sistema.

O primeiro caso representa o porão do inferno interior, que envilece e desarticula a harmonia que deve viger a fim de que se experiencie paz. Transformando-se em desequilíbrio orgânico, aflige e atormenta sem cessar, porque os fatores causais continuam emitindo ondas inarmônicas que mantêm a dissonância interior.

No segundo caso, a paz e o júbilo de viver, a esperança de plenitude, a saúde essencial são as edificações do Reino dos Céus interiormente.

Não é de estranhar-se o rico no mundo, o atleta triunfante, o acadêmico admirado, o cidadão que alcança o topo na conjuntura social experimentarem melancolia, desencanto, raiva de si mesmos e transviarem-se para o luxo externo que chama a atenção, a drogadição e o alcoolismo que procuram esconder ou aparentar diminuir-lhes o sofrimento interno.

É necessário edificar-se o Reino dos Céus dentro do coração, mediante simples aquisições não dispendiosas, como amar indistintamente, sorrir de gratidão à existência, fazer alguém menos triste, repartir bondade.

Ninguém pode viver em paz enquanto mente, ludibria, cria situações prejudiciais, mantém-se na ilusão do poder e da perpetuidade...

⚜

Leon Tolstoi, ao descobrir Jesus fora das imposições teológicas, despiu-se do excesso exterior e assumiu a pobreza dos seus servidores e trabalhadores do campo, seus irmãos que se exauriam no cultivo das terras que lhe pertenciam, e experimentou o esforço de caminhar da capital do seu país até a sua propriedade, em sua cidade natal, como faziam os desprezados, a fim de compreendê-los.

ENVILECER
Diminuir o valor (de); depreciar(-se).

DISSONÂNCIA
Falta de harmonia, discordância (entre duas ou mais coisas).

JÚBILO
Alegria extrema, grande contentamento; jubilação, regozijo.

DROGADIÇÃO
Dependência de drogas, vício em drogas.

DISPENDIOSO
Que consome muito; que dá despesa.

LUDIBRIAR
Fazer acreditar em algo que não é verdadeiro; enganar com palavras; usar de dissimulação.

PERPETUIDADE
Qualidade de perpétuo; perenidade, duração perpétua.

EXAURIR
Tornar(-se) cansado, exausto.

Renunciou ao título de conde e à sua herança para cuidar do solo, embora fosse o maior escritor do seu país, rico e admirado, cujas obras eram traduzidas em diferentes países do mundo.

Por efeito da sua decisão, passou a sofrer dolorosas injunções domésticas, inclusive a tentativa de suicídio da esposa, enquanto estabelecia o Reino dos Céus no próprio coração.

Escreveu contra a ditadura dos teólogos que esmagavam o povo com as suas regras frias, indiferentes ao seu sofrimento, utilizando-se do Evangelho para mantê-lo na miséria em nome da humildade, enquanto eles se adornavam de tecidos especiais, joias de alto preço e palácios extravagantes onde residiam. Jesus, porém, "não tinha uma pedra para descansar a cabeça".

Levantou-se contra a pena capital, escreveu ao czar Nicolau II, solicitando justiça e misericórdia para o povo escravizado, recordando-lhe que nos seus cárceres estavam mais de 100 mil prisioneiros, vítimas de perseguição injustificada.

Foi combatido pelos poderosos, não pôde publicar algumas obras, que foram proibidas no seu país, em razão do seu conteúdo contra o abuso do poder e das glórias que se atribuíam o clero, a nobreza e os políticos de destaque, mas prosseguiu, apesar de tudo, apegado ao seu ideal de simplicidade e beleza, amor e compaixão.

Tornou-se um profeta e mensageiro de Jesus que estimularia outros a seguirem o mesmo caminho, amando o mundo sem deixar-se possuir pelas suas facécias.

Se tens conhecimento de Jesus, aprofunda-o na meditação dos Seus "ditos e feitos", permitindo que te permeiem os sentimentos e repousem no teu coração.

Reivindica a paz para os teus dias na Terra, pensando, falando e agindo com retidão.

INJUNÇÃO
Influência coercitiva; pressão; exigência, imposição.

CLERO
Conjunto dos clérigos, em sua totalidade ou limitado a uma igreja, região, país etc.

NOBREZA
Classe dos nobres; aristocracia.

FACÉCIA
Qualidade ou modo facecioso; dito chistoso; chacota, gracejo, pilhéria.

PERMEAR
Passar através de; atravessar.

RETIDÃO
(Por mtf.) Virtude de seguir, sem desvios, a direção indicada pelo senso de justiça, pela equidade; virtude de estar em conformidade com a razão, com o dever; integridade, lisura, probidade.

Adiciona a paciência e a esperança à tua agenda evolutiva, considerando que a existência humana altera-se com facilidade.

És senhor do momento em que te encontras: se sofres, resgatas delitos; se estás exuberante de saúde, fortalece os sentimentos nobres; se sorris, pensa naqueles que choram, diminuindo-lhes o sofrimento.

A cada instante, a vida se expressa dentro de um esquema que te surpreende.

Procura descobrir a mensagem que te está sendo revelada. Dependerá de ti o esforço de hoje para a tranquilidade de amanhã.

Resolve os problemas existenciais simples ou complexos com cuidado e gentileza, a fim de não produzires lesões emocionais noutrem.

O ontem sempre retorna, assim como o amanhã surge como consequência dos teus atos atuais.

Onde estejas, como te encontres, como te apresentes, recorda que estás construindo o Reino de Deus no coração, a fim de que se reflita no teu entorno e se inicie naqueles com os quais convives.

❦

Quem não investirá todos os bens que possui para adquirir a pérola única mais valiosa do mundo, que esteja ao alcance?

Essa interrogação Jesus a fez.

O Reino dos Céus dentro do coração será a conquista do mais precioso tesouro da tua existência.

Investe o que tens, o que te cabe, aquilo que está ao teu alcance, para que desde hoje sintas o Reino de Deus na tua jornada terrestre.

Hoje é o teu dia de decisão.

DELITO
Transgressão da moral ou de preceito preestabelecido; falta, infração.

EXUBERANTE
Em que há abundância; profuso, rico; que está cheio, farto.

REFLETIR
Recair sobre; incidir.

ENTORNO
O que rodeia; vizinhança, ambiente.

"Quando sejas surpreendido pelas distrações mundanas de paradigmas morais relevantes, lembra-te d'Ele e age de maneira igual à que Ele conseguiu desconcertar o perturbador."

Joanna de Ângelis • Divaldo Franco

6

A BÊNÇÃO DO SILÊNCIO

Apesar das comunicações virtuais, que vêm diminuindo a verbalização oral entre os indivíduos, a balbúrdia domina os relacionamentos humanos em toda parte.

Lutas orais e discussões inúteis avolumam-se aos ruídos de todos os tipos de máquinas em altos volumes, tornando as cidades verdadeiras babéis onde se misturam as confusões ambientais com os distúrbios humanos.

As criaturas automatizadas tornam-se verdadeiros robôs que atendem os compromissos com velocidade, na ânsia de ganharem tempo ou de fruírem ao máximo os resultados das ambições atendidas.

Há transtornos neuróticos inúmeros que defluem dessa conduta desorganizada, gerando mais perturbação e tormento.

O tempo apresenta-se insuficiente para o cumprimento de todos os deveres, e os novos planos estabelecidos para solucionar a questão resultam do volume imenso de informações e falsas necessidades.

O cristão decidido, nesse báratro, não poucas vezes se perturba ante as injunções enfrentadas, perdendo o rumo existencial. As distrações e variedade de divertimentos, as licenças morais que liberam as condutas esdrúxulas produzem, no seu

---

BALBÚRDIA
Desordem barulhenta; vozearia, algazarra, tumulto; situação confusa; trapalhada, complicação.

BABEL
Confusão de vozes; grande algazarra.

FRUIR
Desfrutar, gozar, utilizar (vantagens, benefícios etc.).

BÁRATRO
Abismo, voragem.

ESDRÚXULO
Fora dos padrões comuns e que causa espanto ou riso; esquisito, extravagante, excêntrico.

conjunto, aturdimento e perda do foco espiritual, necessário à existência saudável.

Os desequilíbrios coletivos transformam a Terra num pandemônio vilipendiador das bênçãos da saúde e da paz.

Nunca o silêncio se fez e se faz tão necessário como nestes dias. Não apenas o silêncio ambiental, mas também aquele que diz respeito aos sentimentos e emoções.

Na história do Cristianismo Primitivo, os eremitas buscavam o deserto e as regiões inóspitas, as cavernas, onde se refugiavam para se verem livres do mundo e das suas seduções. Sem dúvida, o propósito era nobre, mas necessitavam daqueles que viviam no turbilhão do mundo para levar-lhes o mínimo de alimento, indispensável à manutenção da existência.

Fugiam da algazarra, das competições molestas, mas nem sempre conseguiam a paz interior em razão dos conflitos não resolvidos que carregavam no âmago do ser.

É preciso enfrentar os problemas onde surgem, viver no mundo sem lhe pertencer, livre para Deus e a iluminação interior.

O Evangelho de Jesus é uma doutrina de alegria interior, de fraternidade jubilosa, de amor em plenitude.

Acalmando as ansiedades íntimas ante as perspectivas de alcançar o Reino dos Céus, predispõe o indivíduo à confiança no futuro, à conquista da plenitude.

⚜

Reserva-te algum tempo para o silêncio interior.

É necessário estabeleceres um deserto no íntimo para servir-te de refúgio nos momentos em que necessites de harmonia.

Procura compreender que o teu equilíbrio irá contribuir de maneira eficaz para a harmonia geral.

PANDEMÔNIO
(Fig.) Mistura confusa de pessoas ou coisas; confusão.

VILIPENDIADOR
Que ou o que vilipendia, avilta, trata com desprezo.

EREMITA
(Por ext.) Indivíduo que foge ao convívio social, que vive sozinho; solitário, ermitão.

INÓSPITO
Em que não se pode viver; rude, áspero.

TURBILHÃO
(Fig.) Agitação intensa ou febril.

ALGAZARRA
(Por ext.) Vozearia, barulheira, tagarelada.

MOLESTO
Que causa moléstia; que afeta a saúde; que causa incômodo, que aborrece, que oprime.

ÂMAGO
(Fig.) A parte mais profunda ou entranhada de um ser; alma, imo.

JUBILOSO
Tomado por júbilo, por intensa alegria ou contentamento.

Como estás informado sobre a imortalidade do Espírito, conduze o teu pensamento e os teus atos dentro das seguras diretrizes do bem.

"Tudo aquilo que é conforme a Lei de Deus" deve constituir-te a meta a ser alcançada.

A cada realização ou empreendimento, uma reflexão a respeito da maneira como atuaste, recebendo o aplauso ou não da consciência, que te proporcionará a medida e os recursos para que prossigas ou corrijas.

Na fraternidade sem suspeita encontrarás refúgio para superares a doentia solidão.

No serviço de despojamento do *ego* e fortalecimento do *Self*, conseguirás desincumbir-te dos desafios e problemas que se encontrem em tua ficha de evolução.

Não te detenhas nos propósitos elevados, aqueles que apaziguam e estimulam a mente ao avanço, superando-os com materialidade.

Fazes parte do rebanho do Senhor, que vem tentando através do tempo conduzir-te ao seguro redil.

Dá a cada acontecimento o valor que lhe seja próprio, não te permitindo aumentar a dor nem desconsiderar o significado pernicioso.

Mas nunca te detenhas nos deveres que te cumpre desempenhar.

A balbúrdia, a multidão, a movimentação incessante dificultam o discernimento, perturbam as elucubrações e geram situações embaraçosas, em razão dos comprometimentos que se fazem naturais. Quem pertence aos valores do mundo anda conforme os padrões convencionais, mas quem se fascina por Jesus tem outros compromissos sutis e profundos, que devem ser captados no silêncio da meditação.

Viaja, pois, com frequência ao teu deserto, onde poderás repousar, renovar conceitos e ser harmônico, a fim de

---

DESPOJAMENTO
Ato ou efeito de despojar(-se), de privar ou renunciar à posse de.

EGO
O ego é uma instância psíquica, produto das reencarnações, e que, em determinada fase do desenvolvimento humano, corrompe-se pelo excesso de si mesmo, perverte-se à medida que se considera o centro de tudo, aliena-se como se fosse autossuficiente.

SELF
O ego é o centro da consciência, o Si ou Self é o centro da totalidade. Self, ou Eu superior, ou Si, equivale a dizer a parte divina do ser.

DESINCUMBIR
Levar a efeito uma incumbência.

APAZIGUAR
Pôr(-se) em paz; pacificar(-se), aquietar(-se), acalmar(-se).

REDIL
(Por mtf.) Congregação de pessoas cristãs; rebanho.

PERNICIOSO
Que faz mal; nocivo, ruinoso.

ELUCUBRAÇÃO
(M.q.) Lucubração; meditação profunda; grande aplicação mental para criar e realizar um trabalho intelectual.

ESTRUGIR
Soar ou vibrar fortemente (em); estrondear, retumbar.

ESTUAR
Apresentar-se com alta temperatura (real ou figuradamente); fervilhar, ferver.

TERRA PROMETIDA
Terra que, na Bíblia, foi prometida por Deus a Abraão e aos seus descendentes, conforme Gênesis, 12:1-7.

BULÍCIO
Agitação de muita gente em movimento ou em desordem.

DECÁLOGO
Os dez mandamentos ou preceitos da lei de Deus, escritos em duas tábuas de pedra e entregues a Moisés no monte Sinai, segundo o livro do Êxodo.

PERIÓDICO
Que reaparece em intervalos regulares.

PARADIGMA
Um exemplo que serve como modelo; padrão.

DESCONCERTAR
Fazer perder ou perder o concerto, a ordem, a harmonia; descompor; desalinhar

poderes atender os labores que aceitas como mensageiros da tua felicidade.

Quando estrugir a tempestade ameaçadora que devasta, tranquilamente te mantém em paz, confiando que somente te acontecerá o que seja de melhor para a tua elevação espiritual.

O deserto é lugar em que a vida também estua de forma especial.

O Mestre buscava-o com frequência, quando convivia mais proximamente com o Pai.

No deserto, Moisés pôde reflexionar profundamente a respeito da missão de conduzir o seu povo à Terra Prometida. E foi numa montanha deserta, longe do bulício humano que recebeu o Decálogo.

Não desconsideres o silêncio periódico em tua existência, a fim de poderes alcançar as fontes de origem da vida.

⚜

Sempre que a multidão insaciável afligia o Mestre, ele buscava o deserto, renovando as forças para prosseguir. E foi lá, no grande silêncio, que viveu as *tentações*.

Quando sejas surpreendido pelas distrações mundanas de paradigmas morais relevantes, lembra-te d'Ele e age de maneira igual à que Ele conseguiu desconcertar o perturbador.

"Sofrimento e amor
são termos luminosos
da equação existencial."

Joanna de Ângelis • Divaldo Franco

7

SOFRIMENTO E AMOR

Antes de tomares a indumentária carnal, objetivando o processo reencarnacionista, solicitaste a bênção do sofrimento como refúgio de segurança em relação aos perigos que defrontarias.

Recebeste, em razão do ministério que deverias exercer, uma organização física muito bem equipada, portadora de lucidez mental e equilíbrio emocional, a fim de que pudesses aplicar todo o fluido vital mantenedor da argamassa celular no ministério de iluminação.

Suplicaste pelo amparo dos mentores amigos, e diversos deles prontificaram-se a acompanhar-te o passo, na condição de orientadores e mantenedores da tua fé nos momentos mais difíceis da jornada.

Conseguiste dose dupla de saúde, a fim de que as mortificações dos trabalhos não diminuíssem o vigor e pudesses avançar intimorato, com largo sorriso na face, cantando as glórias do Altíssimo.

Diante de muitas concessões, também solicitaste o ferretear de alguns fenômenos conflitivos que vinham de existências pregressas.

Experimentaste solidão e dificuldade, dores e angústias complexas de solução, mas nunca te faltaram os socorros dos

---

MANTENEDOR
Que ou aquele que mantém, sustenta; mantedor.

MORTIFICAÇÃO
Ato ou efeito de mortificar(-se); entorpecimento, prostração; abatimento psíquico ou moral ocasionado por desgosto, insatisfação.

INTIMORATO
Não timorato, que não sente temor; destemido, valente.

FERRETEAR
Marcar com ferrete, estigmatizar.

Céus através de variados recursos que diminuíram o desencanto e a aflição.

À semelhança de um córrego que enfrenta escolhos no seu curso e impedimentos inesperados, avançaste vagarosamente e com segurança, vencendo largo trecho do caminho.

Tuas mãos suadas no trabalho e teus sentimentos estiolados não te impediram de avançar e, mesmo quando os *joelhos se desconjuntaram*, reunias forças e prosseguias.

Houve instantes penosos e sombrios sob cúmulos de tempestades que te vergastaram. Mesmo aí conseguiste perseverar e em nenhum momento pensaste em desistir.

O teu devotamento atraiu almas abnegadas de ambos os lados da Vida, a fim de te auxiliarem no desiderato sublime a que dedicaste a existência.

A palavra do Senhor dava-te segurança e Sua luz apontava-te o rumo em plena escuridão.

Lentamente a obra de amor planejada pelos guias espirituais da Humanidade ergueu-se e começou a albergar os *filhos do Calvário* com doçura e encantamento.

Choveram perseguições de ambos os planos, o material e o espiritual, e continuaste sorrindo e chorando fiel Àquele que te convidou.

Sucederam-se vidas, por outras substituídas, que continuaram velando por ti e sustentando-te nos testemunhos redentores. Em momentos cruciais, quando tudo parecia ruir sob o tropel de forças desgovernadas, Jesus te amparou e ao grupo, de modo que os alicerces mantiveram os edifícios do bem em segurança.

Alcanças o momento das grandes transformações, e as dores se te apresentam excruciantes, assustando-te.

Não temas! O amor a tudo vence e a tudo transforma.

Continua amando, sem te importares com as respostas que te chegam.

CÓRREGO
Pequeno rio com fluxo de água bastante tênue; corgo, riacho.

DESCONJUNTAR
Fazer sair ou sair das juntas; desarticular(-se), desencaixar(-se).

CÚMULO
Grande quantidade de coisas sobrepostas ou amontoadas; acúmulo.

ABNEGADO
Que ou o que revela ou encerra abnegação; dedicado; altruísta.

DESIDERATO
O que se deseja; aspiração.

ALBERGAR
Dar ou receber albergue, estalagem ou pousada; alojar(-se), hospedar(-se).

REDENTOR
Que resgata, redime; libertador.

TROPEL
Grande quantidade de qualquer coisa.

EXCRUCIANTE
Lancinante, aflitivo.

Este é um período muito grave para o processo histórico da Humanidade. E é natural que sejas igualmente afetado.

Esperaste por esta ocasião entre encantamentos, desolação, e, ao surgir a oportunidade anelada, não titubeies, insiste e ama.

Ama indiscriminadamente.

⚜

Quando o amor se apresenta reticente, é preconceituoso e egoico, pois que, na sua intimidade, tudo deve entender e ajudar.

Ao sedento não importa o vaso que se lhe ofereça a linfa refrescante e salvadora. Ao doador, vale matar a sede de quem lhe pede com os recursos possíveis.

O amor é a alma do Universo, e por isso João, o discípulo amado, informou ser o amor o próprio Deus.

A Terra necessita de compaixão, e todos os seres sencientes aguardam o alimento do amor para nutrir-se e desenvolver-se.

Enquanto o amor avança lentamente, o ódio e a indiferença estimulam a insensatez e o desinteresse em favor do triunfo de um instante.

A caravana dos autossatisfeitos é muito grande e cresce ao influxo das mentes em desalinho que enxameiam no Mais-além inferior, nutrindo-se das excessivas distrações e prazeres cada vez mais exorbitantes das suas vítimas.

Reveste-te de ternura para romper a carapaça que envolve os indiferentes e egoístas.

Sorriem por momento, mas não se furtarão às lágrimas que os buscarão oportunamente.

Quanto a ti, trabalha-te e exaure-te pelo *Reino de Deus*, permanecendo confiante.

Não fraquejes agora por estares em carência.

RETICENTE
Que ou quem age com reticência diante das situações; que ou aquele que hesita, que vacila.

EGOICO
Relativo ou pertencente ao ego.

LINFA
A água, especialmente a límpida.

SENCIENTE
Que sente; que percebe pelos sentidos; que recebe impressões.

INFLUXO
Ato ou efeito de influir; ação, efeito, influência.

DESALINHO
(Fig.) Perturbação de ordem mental ou emocional.

EXORBITANTE
Que ultrapassa a medida justa.

FURTAR
Esquivar-se, livrar-se de (algo); evitar.

> **AZIAGO**
> Que pressagia desgraça; funesto; nefasto.

Somente houve a gloriosa ressurreição do Mestre porque antes aconteceram os aziagos fenômenos de traição, de dor e de abandono que culminaram na Sua morte.

São muitos os seareiros da luz que te pedem coragem e perseverança na batalha que estás travando entre lágrimas e desconsolo.

Ora mais e penetra-te de paz e confiança, amando sem cessar, mesmo que não venhas a receber a resposta afetiva desejada.

⚜

Cristão sem condecoração do sofrimento ainda não passou pelo campo de batalha.

Assim, transforma as tuas dores e expectativas num hino de amor e de alegria, certo da vitória final ao lado daqueles que também te amam.

Sofrimento e amor são termos luminosos da equação existencial.

"O Evangelho de Jesus
é um poema de alegria
em todas as suas páginas."

Joanna de Ângelis • Divaldo Franco

8

AS BÊNÇÃOS DA ALEGRIA

Nada obstante seja a Terra um planeta de provas e de expiações, não se pode negar a beleza de que se reveste, auxiliando as criaturas no seu crescimento para Deus, mediante os recursos valiosos que se encontram em toda parte, num convite invulgar para as atividades indispensáveis a esse mister.

Se ainda apresenta momentos afligentes e destruidores como decorrência das incontáveis transformações que têm lugar na intimidade da sua massa como nas camadas superiores que a envolvem, multiplicam-se na sua face externa as paisagens de encantadora harmonia, os cromos que sensibilizam, os amanheceres de luz e os poentes de cores inimagináveis.

Sua flora e sua fauna, ricas de espécimes encantadores, estão exigindo melhor compreensão dos seres humanos para continuarem no afã para o qual foram criadas por Deus.

Fenômenos de incomparável equilíbrio se apresentam a cada momento no solo, nas águas rasas e profundas, no ar, nos vales e nas montanhas convidando a reflexão a respeito dos detalhes que assinalam todas as formas.

Da pequenina flor perfumada à gigantesca sequoia, dos micro-organismos à majestade dos colossos siderais que fulguram a distância no Infinito, percebe-se uma sinfonia de sons

MISTER
Necessidade urgente ou imediata; precisão.

CROMO
Fotografia transparente em cores.

POENTE
Que põe ou se põe; diz-se do Sol quando se encaminha para o ocaso.

FLORA
A vida vegetal; conjunto das espécies vegetais características de determinada área, época ou meio ambiente.

FAUNA
A vida animal; conjunto das espécies de animais características de determinada área, época ou meio ambiente específico.

AFÃ
Trabalho intenso, penoso; faina, lida.

ASSINALAR
Diferenciar por traços especiais; particularizar, especificar.

ACERBO
Que causa angústia, que é difícil de suportar; atroz, cruel, terrível.

INTEMPERANÇA
Falta de temperança; descomedimento, imoderação.

ANGELITUDE
Qualidade ou condição de anjo; natureza angelical; característica do que é angélico; pureza, candura.

LAPIDAR
(Fig.) Tornar apresentável (o que é tosco e grosseiro); aperfeiçoar, aprimorar, burilar; educar.

ARESTAS
Detalhes, pequenos pontos de desacordo ou conflito.

IMPENITENTE
Contumaz; incorrigível.

HERCÚLEO
De Hércules; excepcional, fenomenal, assombroso; que exige grande esforço; extremamente difícil de se realizar.

INFAUSTO
Não fausto; marcado pela desventura, pela infelicidade; infeliz, desditoso, desgraçado.

e de cores num painel jamais concebido pela imaginação mais exaltada.

Uma expressiva magia permanece no ar aguardando o pensamento e a emoção dos que a habitam, proporcionando-lhes incomparável alegria de viver.

Sem dúvida, existem sofrimentos inabordáveis, dilacerações insuportáveis contrastando com a permanente mensagem de enriquecimento espiritual que se encontra instaurada no imo dos seres, especialmente humanos.

Sucede que essa página de dores acerbas é resultado da intemperança e precipitação do espírito humano aí colocado para fazer desabrochar a presença sublime do amor que lhe jaz no íntimo.

Viajando do instinto à razão e desta à angelitude, a energia pensante transfere de uma para outra experiência existencial as conquistas e prejuízos do seu comportamento, de forma que possa lapidar as arestas e corrigir as imperfeições conforme as haja produzido.

Mesmo nesse processo de autoburilamento, a beleza e a alegria encontram-se presentes como a melhor maneira de alcançar-se a meta sublime, que é a perfeição.

A fim de que os padecimentos mais rudes não se transformassem em algozes impenitentes, a Divindade proporcionou à escola terrestre incontáveis painéis de encantamento para que pudessem produzir bênçãos em todos os seres que a habitam, o interesse e a paixão pelo amor, num esforço hercúleo de superação das tendências infaustas ou perturbadoras.

Desse modo, é justo que se procure a vivência da ternura, essa irmã da tranquilidade, em todas e quaisquer situações do curso evolutivo.

A alegria é mensagem de Deus convidando-nos à conquista da plenitude.

O Evangelho de Jesus é um poema de alegria em todas as suas páginas.

Confortador desde os primeiros ditos do Mestre incomparável, quando enunciou:

– *Eis que vos trago Boas-novas de alegria.*

Aqueles eram dias tumultuosos e conflitivos no exterior e no interior das criaturas humanas.

Infelizmente, o ser humano era o lobo do seu próprio irmão.

Jesus veio para aplacar a ardência das paixões destrutivas, cantando o poema da esperança que dá forças para a libertação de todo mal.

E, a partir de então, a Terra, na sua paisagem moral, reverdeceu e tornou-se abençoada escola de aprimoramento intelecto-moral, onde os Espíritos se iluminam e avançam no rumo da sublimação.

Por essa e muitas outras razões, o sofrimento, mesmo quando se apresenta com aspecto tormentoso, deve ser recebido com alegria, pela oportunidade de reabilitação do equivocado e disciplina educadora de que necessita.

Há em toda parte a presença da mirífica luz do Amor de Deus, estimulando o ser humano a que se transforme em cocriador, tornando o planeta mais elevado e mais propício à regeneração da sociedade que o habita.

Não retires do teu mapa de compromissos a alegria do serviço, recordando-te de que todas as oportunidades que se encontram ao teu alcance procedem da magnitude do Senhor, que a todos concede os instrumentos hábeis para atingir o êxito.

Aprende, pois, a ver beleza em todas as coisas, a retirar o *lado bom* mesmo do *mal* em tudo e em todos, permitindo-te a

---

BOA-NOVA
Notícia da salvação do mundo por Jesus Cristo; Evangelho.

REVERDECER
(Por mtf.) Dar nova força ou vigor (a); rejuvenescer(-se), revitalizar(-se).

MIRÍFICO
Maravilhoso, extraordinário, magnífico.

alegria de viver sem mágoas ou dissabores, porque tudo contribui para a tua elevação moral.

Por tua vez, canta as bênçãos da alegria aos ouvidos do mundo inquieto, dos corações amargurados, dos seres em desencanto, mostrando que nunca cessam as ocasiões de amar e servir, edificando o santuário da perfeita fraternidade.

Nunca te rebeles porque te encontres em injunção penosa, sob injustiça e perseguição gratuita.

Lembra-te dos servidores de Jesus que se imolaram por Seu inefável amor.

O holocausto para eles era um momento de glória, de verdadeira alegria.

Cantavam e exaltavam a fé que os arrebatava, impressionando e irritando os adversários da luz que os levavam ao padecimento ultor.

Graças ao seu devotamento e sacrifício, mudaram os rumos da História. Na atualidade em que a alegria é encontrada, não poucas vezes, nos espetáculos grosseiros, no anedotário vulgar, na satisfação dos instintos primários torna-se necessário encontrar as alegrias que enriquecem o coração de paz e a mente de sabedoria.

⚜

A alegria em todos os momentos existenciais é o sinal de Cristo no coração, porquanto, mediante a sua musicalidade interior, ocorre uma perfeita identificação entre a criatura e a Criação, exaltando a grandeza de Deus.

Não te deixes, pois, entristecer pelos naturais testemunhos que a evolução impõe a todo aquele que moureja na busca da plenitude.

DISSABOR
Sentimento de desconforto ou desagrado; desprazer, aborrecimento, contrariedade.

IMOLAR
(Por mtf.) Sacrificar(-se) em benefício de; renunciar.

INEFÁVEL
Que não se pode nomear ou descrever em razão de sua natureza, força, beleza; indizível, indescritível.

ARREBATAR
Atrair ou sentir-se atraído; encantar(-se).

ULTOR
Que ou aquele que vinga; vingador.

ANEDOTÁRIO
Conjunto de fatos jocosos ou picantes atribuídos a determinada pessoa ou evento.

MOUREJAR
Trabalhar muito (como um mouro); afainar(-se).

"Ilumina-te e, onde quer que estejas,
não olvides de deixar sinais
luminosos da tua passagem."

Joanna de Ângelis • Divaldo Franco

9

VITÓRIA DA LUZ

Narra-se que, nos primórdios dos tempos cósmicos, a massa que foi retirada da imensa nebulosa de gases incandescentes que se movia no espaço infinito, e que seriam a Terra, seu satélite e demais peculiares do seu conjunto, o Psiquismo Divino envolveu-a e fascículos de luz a penetraram.

Seriam os Espíritos que a habitariam um dia...

Tudo eram, então, densas trevas que a constituíam.

Lentamente, os elementos em sua origem movimentaram-se e foram-se aglutinando uns, enquanto outros se consumiam, permitindo que, na tremenda escuridão, os raios benéficos do Sol a penetrassem, auxiliando-a no desenvolvimento para que estava programada.

Turbilhões terríveis a sacudiam, e lentamente as forças se foram equilibrando, enquanto durante o dia alguma claridade suplantasse a treva terrível e durante a noite o brilho de outros astros a alcançasse.

Muito vagarosamente, através dos milhões de anos surgiria a vida na sua formulação inicial, na intimidade das águas e, atravessando as intérminas convulsões externas e internas do planeta, houvesse alguma claridade.

Com a descoberta do fogo, surgiram inumeráveis pontos de luz, bordando-a de maneira especial, até quando os conhe-

NEBULOSA
Nuvem de matéria interestelar [Divide-se em nebulosa a reflexão, quando apresenta espectro contínuo; planetária e difusa, quando o espectro é de raia, e obscura, quando o espectro é não luminoso, mas absorvente].

SATÉLITE
Corpo celeste que gravita em torno de outro, denominado principal; secundário.

PECULIAR
Que é predicado de algo ou de alguém; próprio.

FASCÍCULO
Pequeno feixe.

BORDAR
Espalhar cores, formas; colorir, ornar, enfeitar.

cimentos científicos produziram a eletricidade e as sombras passaram a ser diluídas.

Hoje, existe a perspectiva de terminar com as sombras que envolvem a Terra, através de satélites artificiais que captariam a luminosidade do Sol e brilhariam quando a noite envolvesse o mundo.

Os experimentos prosseguem, e vemos na arquitetura o exemplo dos edifícios e lares para todas as finalidades apresentarem-se leves e transparentes, evitando-se qualquer escuridão.

É o período de vitória da luz.

Essa é uma face exterior em relação ao planeta terrestre.

Há outra, muito mais significativa, que merece reflexões acuradas e trabalho infatigável.

Trata-se da luminosidade interior do ser espiritual que navega na embarcação da carne etapa a etapa do seu progresso.

Em todas as épocas, mesmo nas mais remotas, sempre houve a preocupação em favor da ordem, do bem e do amor entre as criaturas, impulsionadas apenas pelos instintos primários a lutar contra as imperfeições, a sombra da ignorância e do primitivismo.

Missionários da Luz desceram à Terra e ensinaram doutrinas cujo conteúdo sustentava as bases da felicidade no sentimento de amor e de fraternidade que deveria viger entre todos.

Incompreendidos uns e aceitos outros, os Espíritos desencarnados também se empenharam em demonstrar a indestrutibilidade da vida, comunicando-se por métodos estranhos até o momento em que a cultura pôde aceitar as claridades diamantinas do Espiritismo, que vêm libertando os seres humanos para alcançarem a sua plenitude.

Embora permaneçam trevas exteriores e interiores, responsáveis por guerras calamitosas e sofrimentos inomináveis, já se encontram traçados roteiros éticos para que esses males desapareçam por completo.

ACURADO
Marcado pelo cuidado, atenção, interesse; feito com primor, rigor, capricho; esmerado, exato.

INFATIGÁVEL
Que não sente ou revela fadiga; incansável.

VIGER
Ter vigor, estar em vigor; ter eficácia, vigorar.

INOMINÁVEL
(Pej.) Que não se pode nomear ou qualificar por ser extremamente revoltante; horrível, péssimo.

❖

O ser humano é a soma das suas experiências evolutivas, construtor do próprio futuro e colhedor do seu passado.

Possuidor de livre-arbítrio e conhecedor da realidade na qual se encontra quando reencarnado, dispõe dos instrumentos indispensáveis à conquista da alegria de viver, de amar, e pode alcançar a paz legítima que deflui da consciência ilibada e da conduta reta.

Compreende que todas as ocorrências possuem um limite de tempo e logo perdem o seu significado, a que se apegam para sofrimento espontâneo e desnecessário.

Contendas contínuas, ressentimentos por qualquer fato desagradável, ciúme, inveja e paixões subalternas cedem lugar aos sentimentos nobres de fraternidade e de amor, porque a *morte*, inexorável, a todos consome na sua devastadora finalidade, reduzindo tudo a pó e a tristes lembranças, mesmo que sejam nos mausoléus soberbos ou nas covas rasas da pobreza.

Pensando-se seriamente nessa realidade que a todos alcança, os esforços empreendidos para a iluminação interior e a libertação da ignorância oferecem elementos saudáveis para uma existência jovial e realmente digna de ser experimentada.

Lamentos a que se apegam aqueles que se comprazem na vitimização, tormentos pela posse de algumas banalidades que lhes não fazem falta, mágoas injustificáveis por ocorrências insignificantes que defluem do *ego* intumescido e insano cedem lugar à jovialidade e à compreensão do sentido real do existir.

É importante valorizar o *estar vivo* na carne, cenário de crescimento moral e espiritual, tendo-se em vista que o *morrer* nada mais pode fazer do que simplesmente transferir cada um ao país da consciência severa.

Por não compreenderem a brevidade da existência física, os seres humanos lutam uns contra os outros, ambiciosos

---

ILIBADO
Não tocado; sem mancha; puro; que ficou livre de culpa ou de suspeita; reabilitado, justificado.

CONTENDA
Altercação, rixa, discussão; discórdia.

MAUSOLÉU
Monumento funerário, geralmente imponente ou de dimensões avantajadas, que abriga os despojos de um ou vários membros de uma mesma família.

SOBERBO
Que impressiona pelo aspecto grandioso; magnífico, sublime.

INTUMESCIDO
Que intumesceu; inchado, túmido.

e portadores de sentimentos ferozes, sem dar-se conta de que tudo passa com muito maior velocidade do que se pensa, e um dia chega em que se entende a sua realidade e a inútil luta para segurar o que lhe escorrega das mãos, havendo malbaratado o tempo que não volta na manutenção de ódios e de violências responsáveis pela miséria moral que ainda vige no planeta.

Os senhores e as senhoras soberbos de hoje, desfilando no carro da ilusão, amanhã estarão em situação lamentável, expiando o tempo malbaratado na valorização da própria mesquinhez.

A simplicidade, a ternura, o companheirismo, a humildade são essenciais à jornada terrestre, porque captam simpatia e afabilidade, constroem roteiros de segurança para aqueles que vêm atrás.

Ademais, criam uma nova maneira de existir que facilitará a evolução de outros que acreditam nas calamitosas situações do crime e da vulgaridade.

⚜

Não foi por outra razão que Jesus estabeleceu que o amor é o sentimento essencial para a conquista do Reino dos Céus.

Esse Reino encontra-se nas estradas escuras da Humanidade em trevas e que agora passa a receber a iluminação transcendente da libertação.

Ilumina-te e, onde quer que estejas, não olvides de deixar sinais luminosos da tua passagem.

Que as tuas pegadas signifiquem vitória sobre os desafios e identificação com Aquele que veio oferecer a vida para que todos tivéssemos vida em abundância.

MALBARATAR Desperdiçar, dilapidar (patrimônio próprio ou alheio); utilizar, aplicar mal.

EXPIAR Pagar (crimes ou faltas); remir(-se).

AFABILIDADE Qualidade ou comportamento de quem é afável; atributo de quem é cortês, delicado; benevolência, cortesia, amabilidade.

TRANSCENDENTE Que transcende; transcendental; que excede os limites normais; superior, sublime.

"A existência não é conforme o desejo do
momento de cada candidato,
mas resultado de realizações que ficaram
no passado e produzem
ressonância no presente."

Joanna de Ângelis • Divaldo Franco

10

SOU JOVEM...

Recebeste o convite da Verdade quando te encontras na fase juvenil da existência e ainda não estás comprometido com os vícios que dominam a cultura hodierna, rica de facilidades de toda espécie.

Sentes a beleza da invitação e fascina-te a perspectiva porvindoura, que se te anuncia com encantamentos e festas.

Reconheces que procedes de um passado embaraçoso, de sucessivos fracassos, quando assumiste compromissos formais com a Mensagem Cristã, que defraudaste lamentavelmente.

Percebes no imo, em face das más inclinações e dificuldades para a assimilação dos bons hábitos, a presença dos graves erros, das ações danosas que, não poucas vezes, assomam e ameaçam os teus planos de reabilitação.

Alguns antigos costumes viciosos assinalam-te e aturdem-te. Tens consciência de que necessitas superá-los, mas te debates em dúvidas atrozes ante as conveniências do prazer imediato e as renúncias que se te fazem inadiáveis.

Terminas por gritar um desafio de rebeldia: – "*Sou jovem e devo aproveitar a oportunidade para gozar, desfrutar da luxúria em todos os seus aspectos, conforme todos o fazem*".

Acrescentas em aturdimento: – "*Necessito distrair-me, viver intensamente a hora que me é favorável ao gozo. Renunciar à*

INVITAÇÃO
(M.q.) Invitamento. Ato ou efeito de invitar, de convidar; invitação, convite.

PORVINDOURO
Que está por vir; futuro, vindouro.

IMO
(Fig.) Muito íntimo, muito profundo; interno, recôndito.

ATROZ
Doloroso; lancinante.

> FORMIDANDO
> Espantoso;
> formidável.

juventude é um preço muito alto, considerando-se a formidanda ocasião para ser feliz".

O prazer, no entanto, não deflui somente das sensações fortes da embriaguez dos sentidos, que logo passa e deixa-te mais esfaimado e ansioso do que antes, numa escala crescente de novas experiências. O cansaço, o tédio, a decepção constituem o futuro à espera dos que vivem a fruí-lo.

Há prazeres extraordinários que resultam dos deveres retamente cumpridos, dependendo da ótica e do foco de cada indivíduo.

Quando logra superar o mal que nele mesmo se encontra, peculiar alegria o invade e o fortalece, impulsionando-o ao avanço e nele imprimindo emoções que mais o fortalecem na batalha do dia a dia.

O bem que faças a outrem em carência será mais compensador do que os exaustivos esforços para alegrias extravagantes, sob o estímulo de substâncias destrutivas, alucinantes.

> APRAZER
> Causar ou sentir prazer; contentar(-se); agradar(-se), deleitar(-se); prazer.

O corpo tem os seus limites; embora exijas liberdade para fazeres o que te apraza, há causas que desencadeiam esses limites, injunções penosas. E nos relacionamentos, quantas surpresas ocorrem?!

> RESSONÂNCIA
> (Fig.) Repercussão, consequência.

A existência não é conforme o desejo do momento de cada candidato, mas resultado de realizações que ficaram no passado e produzem ressonância no presente.

Ademais, tens comprometimentos com outros Espíritos que participam da tua agenda evolutiva e te aguardam para acordos de paz.

Tem muito cuidado!

⚜

A juventude é período para a aprendizagem, a fixação de hábitos que se tornarão condutas no futuro.

O treinamento na infância e na juventude será o definidor dos rumos da tua conduta no amanhã.

A comunhão com a Verdade deverá ser uma experiência histórica desde o seu primeiro momento, que se irá fixando nos painéis da alma até transformar-se na meridiana luz do conhecimento libertador.

Com a sua prática superarás os impulsos agressivos, as tendências nefastas, as dependências perniciosas.

Se pensas que o corpo estará sempre em condições de responder-te aos desejos, enganas-te. Toda máquina trabalha dentro das possibilidades para as quais foi constituída. Como a organização física na qual transitas foi organizada pelas emissões das ações transatas, estarás sob a força coercitiva de injunções que não podes modificar, mesmo que te empenhes com todas as forças...

Tuas necessidades espirituais aguardam atendimento urgente graças à programação a que estás submetido.

Todos renascem atados a compromissos impostergáveis, resultantes do programa inevitável da evolução.

Não reencarnaste por acaso, nem te encontras em liberdade total, pois que essa não existe na Terra.

Acalma as tuas ansiedades embriagadoras, recorda que tudo passa, que tempo e espaço são muito relativos e aproveita o período juvenil para a construção da infindável alegria de viver e crescer na direção divina.

Não aguardes a chegada das enfermidades para reflexionares, como é habitual no gênero humano. Estas ocorrem em qualquer período da existência, e não somente na velhice.

Músculos saudáveis e invejáveis emurchecem com facilidade, dinamismo e vigor se esfumam com rapidez, sorrisos se transformam em esgares, sem que se percebam até o momento em que as reações orgânicas fazem-se com dificuldade.

MERIDIANA
Relativo à hora do meio-dia; merídio.

NEFASTO
Que pode trazer dano, prejuízo; desfavorável, nocivo, prejudicial.

TRANSATO
Que já deixou de existir, que já passou; passado, pretérito, anterior ao atual.

COERCITIVO
(M.q.) Coercivo; capaz de exercer coerção; que coage, que reprime.

IMPOSTERGÁVEL
Que não se pode postergar; inadiável.

INFINDÁVEL
Que não pode ter fim ou que parece não ter fim.

EMURCHECER
Tornar(-se) murcho; perder a vitalidade, o frescor.

ESFUMAR
Fazer desaparecer ou esvair.

ESGAR
Trejeito, jeito do rosto; careta de escárnio.

> **GALHARDO**
> Que tem aparência garbosa, elegante; que tem modos finos e sentimentos delicados; generoso, gentil.

Usa as tuas energias genésicas para o equilíbrio psicofísico e a tua juventude galharda para ampliares a caminhada iluminativa.

Administra esses hormônios, canaliza-os para múltiplas finalidades, respeitando-lhes os impositivos e pensando também naqueles que são de natureza espiritual, porque inúmeras existências se têm perdido na ilusão do seu uso indevido...

⚜

> **DEMASIADO**
> Que ultrapassa o natural ou o ordinário; excessivo, exagerado.

A quem muito foi dado, muito será pedido – é impositivo das Divinas Leis.

Não violentes o teu destino, desfrutando demasiadamente os prazeres, nem decepciones aqueles que confiam em ti em ambos os planos da Vida.

De igual maneira, a Vida que concede, retira.

Vive, pois, a tua juventude sem extravagâncias, trilha desde hoje para a tua vitória final.

"Serve com alegria, de modo que tudo pareça uma festa para o coração que anseia por beleza e aspira por liberdade."

Joanna de Ângelis • Divaldo Franco

11

JUVENTUDE E CONHECIMENTO

Diz-se que jovem é todo aquele que biologicamente experiencia uma existência breve, isto é, que ainda navega nas águas mansas do organismo em formação, em curto período de vida.

A mocidade é, portanto, um período que faculta o desenvolvimento das faculdades orgânicas e psíquicas. É nessa fase que se definem os quadros das atividades que devem ser aplicadas no processo de crescimento intelectual e moral.

Há, no entanto, do ponto de vista psicológico, uma visão especial em torno da juventude moral e emocional, que se apresenta em qualquer idade, quando não existem fatores de perturbação e extravagâncias no trânsito carnal.

Por essa razão, diz-se que todo aquele que pode olhar para trás com serenidade, que possui beleza e vive-a, que se entusiasma com um raio de sol ou uma gota de chuva é jovem, encontra-se em plenitude de forças.

Eis por que esse período dedicado ao estudo, à disciplina e à educação é de fundamental importância, porque é nele que se fixam as informações, os hábitos e costumes, os saudáveis ou doentios comportamentos.

FACULTAR
Dar permissão (a); facilitar, permitir; conceder, oferecer, ensejar.

O conhecimento intelectual e o desenvolvimento moral são asas que permitem os voos às alturas da sabedoria, da alegria de viver, ao estado numinoso.

Comumente se diz que é necessário desfrutar da juventude, dos prazeres da mocidade, numa alegação de que os gozos embriagadores são exclusivos desse período.

O aprimoramento do sentido psicológico da vida cede lugar à usança das sensações agradáveis, mas que possuem tóxico destruidor, que se manifesta depois em forma de mazelas perversas.

Algumas dessas satisfações que alucinam pelas fortes imposições geram dependências escravizantes, um pesado e semi-destruído fardo para ser conduzido.

Noutros, os danos que virão depois são previsíveis, porque os órgãos não foram elaborados para essas cargas excessivas de comportamento.

Todo uso dado indevidamente à estrutura fisiológica transforma-se em agressão ao corpo, que se corrompe sob a ação da mente que se desgoverna.

As emoções defluentes dos sentimentos edificantes e respeitosos ao casulo carnal, que sempre se dilui, facultam fortalecimento das energias e estruturas que abrem oportunidades à evolução.

A infância humana e sua adolescência são as mais longas do reino animal para facultar ao Espírito a aprendizagem para toda a existência.

A disciplina, pois, de alguns hábitos ancestrais, a canalização das energias fortes em serviços enobrecedores proporcionam a conquista de valores inapreciáveis para sua elevação espiritual.

Gozar, desse modo, a juventude não é encharcar-se de prazeres sempre insaciáveis até o momento que, exaurido, o

---

USANÇA
Tradição, prática, costume há muito tempo observados; uso frequente.

MAZELA
(Por ext.) Conjunto de perturbações patológicas; doença, moléstia.

EDIFICANTE
Que leva ao aperfeiçoamento moral, à virtude.

INAPRECIÁVEL
Que, pela sua extrema importância, o seu sabido valor, é difícil de ser avaliado em dinheiro ou em apreço.

veículo carnal passa a exigir respeito ou cobra a inadvertência por meio das enfermidades dilacerantes.

⚜

Aproveita a tua juventude carnal para viver longos dias na Terra, sem conflitos nem ultrajes.

Usa os teus valiosos recursos para a preparação dos períodos da maturidade e velhice.

Faze da tua experiência carnal um hino de louvor à Vida incessante, demonstrando a grandeza do existir.

Recorda-te dos indivíduos que, enganados pela ilusão carnal, perderam a jornada ou a transformaram num calvário para si mesmos, que vêm sofrendo, nem sempre com a resignação correspondente à necessidade libertadora.

Renova-te, transformando as tuas forças juvenis, e utiliza-as de maneira saudável, de tal forma que estarás sempre jovem em qualquer idade.

Tem cuidado com os hábitos mórbidos que te acompanham desde ontem, com aqueles Espíritos com os quais te comprometeste e se transformaram em algozes.

Cuida do asseio moral qual o fazes com o físico.

Não te enfastie o dever ante a facilidade mentirosa do fruir e evita perder oportunidade de cumpri-lo com fidelidade.

Ninguém burla a Vida, desde que não a pode extinguir ou evitá-la, mesmo quando em fuga da realidade.

Se és jovem biologicamente, assume o compromisso com o Cristo e penetra-Lhe os ensinamentos, hoje iluminados pelo *Consolador*, que se constitui na formosa oportunidade de autoiluminação.

Adota-lhe a conduta e mantém-te nesse período de experiências luminíferas com alegria, certo da vitória final.

DILACERANTE
(Fig.) Que causa dor aguda; pungente, torturante.

ULTRAJE
Ofensa muito grave; afronta, desacato.

INCESSANTE
Que não cessa; que não sofre interrupção; contínuo, ininterrupto.

RESIGNAÇÃO
Aceitação sem revolta dos sofrimentos da existência.

ALGOZ
Indivíduo cruel, de maus instintos; atormentador, assassino.

ENFASTIAR
Provocar ou sentir fastio ou aborrecimento; entediar(-se), enfadar(-se).

FORMOSO
Perfeito, puro, belo.

LUMINÍFERO
Que tem luz, em si, que a gera, que a produz.

Se, por acaso, mantiveres a juventude interior, renova-te no amor, luta contra os teus adversários da ilusão e transforma a tua jornada numa seara de bênçãos pelas quais anelas com sofreguidão.

Não te escuses das gloriosas realizações que te estão ao alcance.

O valor da existência encontra-se na maneira como é considerada por cada um dos seres humanos. Descobre-lhe o sentido psicológico, e o que pensas encontrar nos prazeres rápidos n'Ele viverás intensamente, sem qualquer possibilidade de arrependimento ou crise existencial, porque Jesus é Vida.

Serve com alegria, de modo que tudo pareça uma festa para o coração que anseia por beleza e aspira por liberdade.

Quando, mais tarde, a experiência tiver conseguido transformar-te interiormente, cantarás o hino de júbilo e de gratidão pela juventude enflorescida pelo amor e seu perfume, a ternura e sua magia, a caridade e sua grandiosidade.

※

O convite de Jesus às crianças, ainda não maculadas, estende-se a todos aqueles que pretendem a juventude perene.

Essa juventude sonhada no corpo físico é mito, porque as energias internas consomem-se e desaparecem.

Até mesmo as *crianças feridas*, hoje adultos infelizes, Ele aguarda para curá-las das marcas dolorosas que carregam.

SEARA
Terra que se semeia depois de lavrada; messe.

ESCUSAR
Dispensar, liberar (alguém ou si mesmo) de (algo).

MACULADO
Atingido em sua honra; desonrado, deslustrado, infamado.

"Diante de qualquer dificuldade no processo libertador, mantém a serenidade, porque esse é fenômeno natural."

Joanna de Ângelis • Divaldo Franco

12

OBSTÁCULOS DESAFIADORES

Toda empresa enfrenta as consequências dos objetivos a que se destina. Cada qual possui as características que a definem, provocando obstáculos correspondentes.

A existência planetária é uma empresa de alto coturno a todos os seres confiada.

A ingenuidade, por falta de maturação evolutiva, imprime na mente do ser humano que os obstáculos são processos desanimadores que impedem a execução da tarefa empresarial. Entretanto, são os aparentes empecilhos que aprimoram a faculdade de pensar, de agir e abrem perspectivas solucionadoras que facultam a ampliação e qualificação do trabalho.

Quanto mais grandioso o empreendimento, mais problemas surgem, exatamente pela complexidade de que se reveste.

Os pequenos desempenhos facilmente são resolvidos e, às vezes, solucionam-se por si mesmos. No entanto, quando se trata de realizações superiores ou caracterizadas pelos objetivos novos, apresentam-se impedimentos que requerem reflexão, cuidado e rapidez para a sua solução.

O teu empenho em viver numa sociedade feliz não pode ser desconsiderado em razão das ocorrências infelizes que tomam conta da Humanidade.

COTURNO
(Fig.) Importância social; de alto coturno (de linhagem nobre; de importância social); de baixo coturno (de linhagem comum; plebeu).

EMPECILHO
O que empece ou estorva; dificuldade, impedimento.

As aberrações de todo naipe apresentam-se a cada dia mais desanimadoras, sob os auspícios das técnicas de comunicação global, em lavagens cerebrais que convidam ao abismo dos sentimentos.

Conflitos éticos se abatem sobre as emoções humanas e produzem efeitos maléficos no seu comportamento.

Pergunta-se, então: — *Do que valem a conduta moral sem jaça, a preservação do sentido ético, quando o prazer encontra-se ao alcance de um gesto ou de uma decisão tomada rapidamente, sem reflexão?*

Misturam-se os conceitos na variação daqueles que promovem e daqueloutros que rebaixam, que desqualificam o ser.

A loucura avassaladora toma conta das massas, e o ser humano estertora, sem encontrar apoio emocional para os enfrentamentos, cada vez mais severos e de consequências mais cruéis.

As lutas pelo pódio, as necessidades de estar-se sempre visto e invejado, a divulgação das frivolidades que massageiam os *egos* narcisistas, o exibicionismo barato e a glória de mentira nas redes sociais atormentam milhões de existências que perdem o sentido ético, na corrida exaustiva do prazer sem limite.

Não te causem preocupação as ocorrências impeditivas da ilusão, que se tornaram indispensáveis ao comportamento social do ser humano ludibriado.

Prossegue em teu ministério de autoconfiança e de devotamento aos ideais elevados que podem alterar a paisagem do planeta terrestre.

Mantém-te ativo e, toda vez quando sejas surpreendido pelos impedimentos, insiste nos teus objetivos saudáveis.

Não te afastes do rumo elegido, considerando que há tempo que facilita a ensementação e outro que a dificulta.

⚜

Não te poupes ao trabalho autoiluminativo sob a escusa de que não és aceito ou que não existe clima ou condições para ser compreendido o teu programa.

Diante de qualquer dificuldade no processo libertador, mantém a serenidade, porque este é fenômeno natural.

Observa a sua constituição e, com perseverança, passo a passo, irás desembaraçando o teu objetivo das tramas do percurso.

Anteriormente, ao chegar-se a uma cidade, via-se a forca erguida em vigilância cruel. Na atualidade, caracterizam-se as cidades pela presença de motéis de corrupção moral, dando ideia da qualidade econômica dos seus cidadãos.

Que se abram também edifícios à solidariedade e à educação, para que a população receba convenientes promoções morais e espirituais.

A sós ou com outros, poderás vencer os obstáculos se mantiveres o pensamento fixado no amor e na verdade.

As conspirações malfazejas e as injunções viciosas que se enraizaram no contexto social devem ser extirpadas a golpes de paciência e perseverança, compaixão e misericórdia.

No teu íntimo ressumarão manifestações doentias que são liberadas pelo inconsciente, e não poucas vezes te sentirás derreado, sem forças para prosseguir.

Quando tal acontecer, busca a oração, o doce refúgio de fortalecimento na fé religiosa, embriagando-te da luz da sabedoria, a fim de poderes permanecer.

Cada obstáculo faculta uma nova conquista, propicia a libertação de parte da ignorância.

Vê o deserto corrigido em seu solo, o futuro jardim ou pomar abençoado.

Observa o pântano pútrido e ameaçador recebendo drenagem competente, e eis a bênção da terra em renovação, atendendo necessidades múltiplas da multidão.

MALFAZEJO
Que traz prejuízo; nocivo, daninho, maléfico.

VICIOSO
Que apresenta perversão de caráter ou degradação moral; depravado, corrupto.

EXTIRPAR
(Fig.) Promover a destruição ou eliminação de; extinguir, destruir.

DERREADO
Que se encontra muito cansado; esfalfado; exaurido; prostrado.

PÚTRIDO
Que já se decompôs; podre, apodrecido, putrefato.

Não maldigas, desse modo, os obstáculos no teu processo de evolução.

❖

Aqueles eram dias semelhantes a estes que vives hoje.

Veio Jesus com a Sua voz solitária e atraiu alguns interessados no Seu Reino de paz e de plenitude. Depois, ou simultaneamente, apresentaram-se os obstáculos à realização em planejamento.

Elegidas a dedicação e a confiança n'Ele, os Seus seguidores fizeram florescer os madeiros de infâmia e iluminaram a noite moral como fogueiras vivas.

Hoje não será dessa forma. No entanto, os obstáculos serão transformados em escada sublime que conduz à plenitude.

Persevera sempre, haja o que houver.

> MADEIRO
> Qualquer peça de madeira robusta; madeira, lenho.

"Estás fadado às estrelas,
embora transites por solos empedrados ou
charcos perigosos."

Joanna de Ângelis • Divaldo Franco

13

BORRASCAS E HARMONIA

Vez que outra os dias surgem borrascosos e ameaçadores aos transeuntes carnais, dando-lhes a impressão de que qualquer tentativa de harmonia e comportamento tranquilo terminará em desastre.

Tem-se a impressão de que o Sol não está brilhando como habitualmente, enquanto uma sombra imensa cobre-lhe a claridade benfazeja, dando lugar ao surgimento de graves situações e penosos padecimentos.

Sucessivos acontecimentos desagradáveis ocorrem numa sistemática surpreendente. Ainda não se diluía uma aflição e outra se lhe acumula, dando a ideia de que será impossível a superação.

Nessas ocasiões, conflitos antigos que pareciam superados ressumam e produzem angústias de difícil aceitação.

A dor moral somatiza-se, e o corpo dobra-se ao impositivo da carga pesada, em provação necessária, mas não aceita com alegria.

O dia claro escurece, e a alegria cede lugar ao estado melancólico, com as nuvens pesadas do desencanto.

Ninguém há que realize a jornada terrestre sem o enfrentamento desse fenômeno que parece testar as resistências morais.

BORRASCOSO
Que prenuncia ou em que há borrasca; tempestuoso.

BENFAZEJO
Que tem ação favorável, benéfica ou útil; cuja influência é boa.

> **INFANTOJUVENIL**
> Que se refere à infância e à juventude.
>
> **AVATAR**
> Processo metamórfico; transformação, mutação.
>
> **VEREDA**
> (Fig.) Orientação de uma vida, de uma ação; rumo, direção, caminho.
>
> **ANELO**
> Desejo intenso; anelação, anélito, aspiração.
>
> **BORRASCA**
> Contrariedade repentina que gera inquietação; rebelião, tumulto.
>
> **BRANDO**
> Que não é rígido, ou severo, ou peremptório; dócil; flexível; suave.
>
> **MARTÍRIO**
> Grande sofrimento, grande aflição.
>
> **REFUGAR**
> Pôr de parte, não aceitar; rejeitar.
>
> **VENTURA**
> Boa sorte; felicidade.

É natural que se espere da existência corporal sorrisos e prazeres que realmente nunca faltam, como se tudo pudesse reduzir-se aos anos infantojuvenis, de sonhos e sem responsabilidades, ricos de encantamento.

O ser humano, porém, é um jornaleiro de incontáveis avatares, de renascimentos que lhe facultam o desenvolvimento intelecto-moral...

Sombras surgem pelas veredas percorridas, sentimentos enobrecidos invitam-no à ascensão, e subitamente um fenômeno afetivo inesperado, um anelo programado que se não confirmam ou decepcionam provocam a borrasca interior...

Tudo parece conspirar contra a felicidade, caracterizando-se por funda amargura que se apossa da alma e a torna pensativa, algo decepcionada com as expectativas aneladas e trabalhadas para serem conseguidas.

A transitoriedade de tudo na Terra, porém, ajuda a mudança, e por mais tormentosa se apresente a situação, também passa...

A bênção do tempo, que tudo altera no seu suceder, encarrega-se de soprar brisas brandas que levam as nuvens aterradoras.

O Sol volta a brilhar, a esperança ensaia presença e a alegria se instala outra vez, proporcionando felicidade e bem-estar. Não fosse tal acontecimento e a existência seria um martírio no qual governaria soberana, gerando somente insatisfação e dor.

Não refugues as dádivas formosas da renovação espiritual, que ocorre nem sempre de maneira agradável, senão por meio de esforços hercúleos, mediante os quais são renovadas as paisagens emocionais.

Permanece receptivo à luz do entendimento e sai da janela da tristeza, ruma na direção da ventura que também te espera no lado oposto daquele em que te encontras.

Bendize as nuvens borrascosas que te ameaçam com frequência, pois que elas contribuem para que reflexiones com calma, identificando o sentido psicológico da existência física.

Muitas vezes a tempestade de agora se converte em doce harmonia no futuro.

Hoje acreditas na ventura que desfrutas e aspiras para que não desapareça. A sua continuidade, no entanto, conduz ao tédio, porque o processo de evolução exige alteração de comportamento. O Espírito desenvolve-se na luta que trava para que as matrizes do inefável bem possam desenovelar-se e irradiar a sua potência.

Em toda parte, a vida estua, porém sob desafios e dificuldades que correspondem às necessidades específicas de cada ser.

A semente intumesce-se no solo e explode, a fim de que o frágil embrião atinja a finalidade que se lhe encontra ínsita.

Todos conduzem os sublimes tesouros do bem e da Verdade no imo, enovelados nas camadas defensivas, onde aguardam o momento feliz de irromperem.

Evolução é parto de luz, e todos eles, mesmo os denominados sem dor, produzem efeitos inquietantes.

Não te descoroçoes porque o teu dia ensombreceu-se e a escuridão predomina em toda parte. Além das trevas, estão as estrelas coruscantes e a solar esparzindo claridade intérmina.

Ama e permanece fiel ao teu programa evolutivo, certo da vitória final, embora os embates fracassados. Toda guerra é definida na batalha final, aquela que proporciona realmente a vitória.

Trabalha e espera confiante, tendo a certeza de que és filho de Deus amado e Ele jamais te abandona.

INTUMESCER
Tornar(-se) túmido, aumentar de volume; inchar(-se), dilatar(-se).

ÍNSITO
Que é um constitutivo ou uma característica essencial de uma pessoa ou coisa; inerente, congênito, inato.

IRROMPER
Aparecer ou mostrar-se de repente; brotar, romper.

DESCOROÇOAR
(M.q.) Desacoroçoar; tirar o ânimo, a determinação.

CORUSCANTE
(M.q.) Que apresenta intenso brilho; coriscante, faiscante, reluzente.

> **PORFIAR**
> Obstinar-se, insistir, teimar.

Serve e porfia nos ideais de engrandecimento pessoal, mantendo-te sereno ante os impedimentos que irão promover-te após vencidos.

Não te desesperes com o ferro em brasa da aprendizagem que te facultará a luz do conhecimento libertador.

A tempestade danifica, é certo, mas também proporciona renovação, porque destrói igualmente os inimigos naturais que pululam em toda parte.

> **PULULAR**
> Proliferar com rapidez e em grande quantidade; irromper em grande número.

Quando estejas sob nuvens borrascosas, não tomes as decisões que sentes nessas ocasiões. Tem paciência e imagina-te em harmonia, cultivando lembranças felizes.

Estás fadado às estrelas, embora transites por solos empedrados ou charcos perigosos.

> **CHARCO**
> (Por ext.) Terreno baixo, alagadiço, onde a água estagnada se espalha; charqueiro, pântano, paul.

Alcançarás a meta amanhã, mesmo que chorando hoje.

Prossegue gentil quando as dificuldades te assinalem o percurso.

⚜

> **PATAMAR**
> (Fig.) nível destacado entre os mais altos.

Jesus, que era puro e já havia alcançado o patamar de ser celestial, transitou no mundo sob nuvens borrascosas que jamais O impediram de amar e de servir.

Mesmo no momento final da cruz, venceu a tempestade e rogou a Deus perdão para os Seus crucificadores, oferecendo aos culpados a possibilidade de conquistarem a harmonia.

Imita-O!

"Trabalha em favor do bem
e permanece em paz íntima
irretocável."

Joanna de Ângelis • Divaldo Franco

14

AFERIÇÃO DE VALORES

Sempre que se conclui uma obra ou se encerra um empreendimento, é natural que se faça uma aferição de valores, de modo a concluir-se pela melhor maneira de agir em relação a futuras realizações.

Medem-se as resistências dos objetos através do seu comportamento diante das pressões sofridas.

No ser humano, os fenômenos de qualificação exigem as mais diversas injunções de natureza física, emocional e espiritual. É naturalmente na sutil área dos sentimentos que se pode enfrentar o desafio da resistência.

Resultado dos acontecimentos morais que se acumulam na sucessão dos renascimentos corporais, surgem em formas de necessidades e ambições, transformando-se em idealismos estimuladores ou conflitos desgastantes.

À medida que se evolui do instinto à razão, do primitivismo às emoções superiores, desenvolve-se a sensibilidade na medida em que o amor se expande.

É nesse campo de expressões emocionais que se deverá aferir a excelência do sentimento.

Preocupações e ocorrências malsucedidas transformam-se em fantasmas que ameaçam a paz com receios e ansiedades,

AFERIÇÃO
O que resulta de uma comparação; avaliação.

AFERIR
(Fig.) Julgar algo; avaliar, estima.

MALSUCEDIDO
Que teve mau resultado; fracassado, malogrado.

TORPEZA
Qualidade, condição ou ato que revela indignidade, infâmia, baixeza.

DEPURAR
Purificar, livrar (algo, alguém ou a si mesmo) [de mácula ou pecado]; mundificar(-se), purgar(-se).

IMPERIOSO
(Fig.) Que urge; impreterível, premente.

EXPUNGIR
Tornar limpo, isento, livre.

OLVIDO
Ato, processo ou efeito de olvidar(-se), esquecer(-se); esquecimento, olvidamento, deslembrança.

INVITAR
Requisitar a presença, o comparecimento de; convidar.

DILATAR
Aumentar, expandir(-se), estender(-se) [em amplitude, distância, capacidade, diâmetro, abertura, alcance etc.].

desencantos e torpezas que atiram aos abismos do desespero e do desconforto.

Concomitantemente, as influências ambientais e as circunstâncias no entorno aumentam as aflições que devem ser controladas e dispostas à Misericórdia Divina, que melhor proporciona a real avaliação.

Não te deixes sucumbir ante os infortúnios, os inesperados acontecimentos infelizes.

Cada ser é portador da própria carga de realizações e, quando convidado ao resgate, é necessário depurar-se mediante os sofrimentos que surgem como processo iluminativo.

Bem-aventuradas as oportunidades que constituem o meio eficaz para a depuração moral de que todos têm imperiosa necessidade.

Não fosse esse recurso, o sofrimento atual e dolorosas expiações se encarregariam de fazer expungir os débitos graves, que não podem ficar ocultos ou no olvido, porque toda ação produz equivalente reação e, quando se trata de prejuízos morais, é normal que a recuperação ocorra de imediato.

Graças à crença que esflora o teu coração através dos sublimes ensinamentos da imortalidade, podes compreender a justeza das Divinas Leis em execução pelo automatismo do amor.

Aceita a noite sombria com a certeza do dia de sol que logo virá.

Reflexiona hoje na preocupação e na dor que te surpreendem, demonstrando a certeza de que logo passarão, e voltará a primavera de esperança e de sorrisos.

Não és o único ser invitado à aferição dos valores morais que te erguerão a níveis evolutivos mais elevados.

Para que te seja menos aflitiva a situação, dilata o amor em tua volta, enlaçando tudo e todos no sublime alimento da alma, e perceberás como se modificam as situações penosas.

⚜

O planeta estertora neste momento de mudança, de transformação, de trevas para a luz, de dor para saúde.

Hostes perturbadoras movimentam-se em clima de guerra para a batalha final em que o Bem triunfará inevitavelmente.

Não estranhes encontrar-te nesta hora no palco dos acontecimentos perturbadores, sentindo-te fora do programa de iluminação espiritual. Não se trata de uma ocorrência casual, mas de programação muito bem elaborada, porquanto estiveste antes em outra indumentária, quando os tornastes infelizes.

Amargurados e presos a ressentimentos incoercíveis desde há muito, em regiões de angústia ergueram seus bastiões, ali se homiziaram, aguardando o momento para o desforço.

Os séculos que se sucederam deram-lhes resistências, e, na loucura em que se permitiram fixar, acalentaram a falsa ideia de um poder paralelo à Divindade, contra a qual ora se levantam enlouquecidos.

Em suas cidades fortificadas, em ridículas imitações das terrestres, pululam os infelizes que se deixaram arrastar aos seus sítios, e agora, quando os Céus proporcionam o momento da grande mudança, ei-los em posição de combate, dispostos a tudo.

Imagina uma cidade sitiada por antigos bárbaros que pretendem arrasá-la até os alicerces.

Para eles, este é o momento do ataque, enquanto a maioria dorme no prazer exaustivo e no gozo extravagante.

Tu, que estás informado pelos Espíritos superiores, não poderás evadir-te da situação, fugir dos acontecimentos.

Permanece em oração e em irrestrita confiança em Deus.

Serve quanto possível e ama incessantemente.

Trabalha em favor do bem e permanece em paz íntima irretocável.

HOSTE
Força armada; tropa, exército.

INDUMENTÁRIA
O que uma pessoa veste; roupa, indumento, induto, vestimenta.

INCOERCÍVEL
Que não se pode dominar, refrear, impedir; irreprimível.

BASTIÃO
Posto avançado para a defesa de um território, de um país etc.

SÍTIO
Qualquer pequena área específica de um país, região ou cidade; localidade, aldeia, povoação.

Isso logo passará, e triunfarás a todas as emergências e agressões sob o amparo do Pacificador.

> ROCIAR
> Borrifar; aspergir.

Nunca temas e, mesmo quando algum receio te rocie a mente, busca a fortaleza da oração, que te oferecerá resistência para não recuares, permanecendo na linha de frente do combate.

⚜

Em qualquer situação, lembra-te de Jesus, que venceu o mundo e vela em glorioso triunfo por todos nós.

Não receies e deixa-te conduzir pelas seguras mãos do amor incondicional em direção à luta que está sendo travada para a conquista da glória estelar.

"Todo trabalho que dignifica e oferece o
conforto da esperança e do
bem-estar é bênção que Deus concede
para a conquista do Reino dos Céus."

Joanna de Ângelis • Divaldo Franco

15

TRABALHO DIGNIFICANTE

Entre os valores que contribuem para o progresso do ser humano, destaca-se o trabalho, que é Lei da Vida que modela o Espírito, dele retirando a inferioridade que o acompanha desde os primórdios da evolução.

Os processos primitivos que caracterizam o ser no longo processo de aquisição dos recursos valiosos que se lhe encontram em germe é lento e assinalado por dificuldades compatíveis com o estágio no qual se demora.

Reaparecendo como tendências perversas umas, e outras como direcionamentos viciosos, são os grandes desafios a serem vencidos com a decisão segura de melhorar-se cada vez mais.

O trabalho dignificante é o mais seguro mecanismo e mais eficaz para que o ser transfira-se de um para outro nível de consciência, até o momento em que seja conseguida aquela de natureza cósmica,

Tal apogeu ocorre quando depurado de todo o mal, as heranças não mais se expressam, porque o progresso físico e moral liberta o endividado da carga pesada que conduzia com dificuldade.

Por isso, o Mestre Jesus exarou com profundidade a afirmação: *Meu pai até hoje trabalha, e eu também trabalho.*

GERME
(Por ext.) Condição elementar, incompleta, inicial.

APOGEU
(Por ext.) O mais alto grau; o auge, a culminância de (algo).

Asseveram, no entanto, as letras bíblicas que Deus, após a Criação, contemplou a Sua obra e descansou, facultando compreender-se que a ação transcendente O exaurira a ponto de necessitar do repouso.

Naturalmente, a simbologia que deve ser interpretada *em espírito e verdade*, ao invés de *ao pé da letra*, não é o conceito do descanso reparador, mas de contemplação da obra grandiosa que fora executada.

Na sucessão dos tempos e no aprimoramento das leis em benefício da Humanidade, o trabalho passou a ser respeitado e foram estabelecidas diretrizes para mantê-lo dignificante.

Na avidez de amealhar infinitamente, os poderosos e astutos em todos os tempos utilizaram-se do esforço dos outros para esmagá-los no trabalho escravo, a fim de fruírem os resultados dos seus desmandos característicos da inferioridade moral.

Nada obstante, a partir do papa Leão XIII, com a publicação da sua encíclica *Rerum novarum (Das coisas novas)*, com a sua tentativa de dignificação da criatura humana, especialmente da classe operária, estabeleceu no século XIX os seus primeiros direitos, retirando-os do eito escravagista e traçando linhas da futura liberdade a partir da Revolução Industrial.

O trabalho que dignifica impõe também o dever do descanso, do repouso para a renovação de forças, a fim de dar cumprimento a novos cometimentos de progresso e engrandecimento da Humanidade.

Allan Kardec com muita sabedoria elegeu o trabalho como piloti do seu pensamento, ampliando com a solidariedade e a tolerância para a conquista do progresso e o desenvolvimento ético das criaturas e da civilização.

Desse modo, o trabalho constitui o poderoso elemento para desenvolver o significado existencial e terapêutico para a manutenção da harmonia do ser humano.

AVIDEZ
Qualidade de quem é ávido; desejo inflamado, intenso.

AMEALHAR
Acumular, juntar, reunir.

ENCÍCLICA
Carta circular do papa abordando algum tema da doutrina católica.

EITO
Plantação em que os escravos trabalhavam.

REVOLUÇÃO INDUSTRIAL
Conjunto das transformações socioeconômicas iniciadas por volta de 1760, na Inglaterra (e mais tarde nos outros países), e caracterizadas esp. pela substituição da mão de obra manual pela tecnologia (tear mecânico e máquina a vapor, a princípio), seguida da formação de grandes conglomerados industriais.

PILOTI
Cada uma das colunas que sustentam uma edificação.

Dentre os males que se apresentam na sociedade de todos os tempos, destaca-se a ociosidade como dos mais danosos. Quando as mãos operosas repousam por longo prazo e o corpo se acomoda, perdem a flexibilidade, emurchecem-se-lhes os músculos e órgãos, no seu dinamismo passam a sofrer distúrbios no seu conjunto. Concomitantemente, a ausência de ideais fomentadores e a falta de pensamentos edificantes produzem o tédio que se transforma em vazio existencial, a caminho de grave transtorno psicológico.

O trabalho é preventivo e curativo para muitos dos males que atormentam o ser humano, pelos admiráveis resultados que se derivam das ações realizadas.

Trabalho é movimentação de energia, mas aquele que tem finalidade edificante constitui-se de alto valor para o indivíduo, por desenvolver-lhe a capacidade de crescimento interior, de aprendizagem dos objetivos existenciais pelo estímulo do bem.

Habituar-se aos pensamentos dinâmicos em alavancas poderosas de ação deve constituir motivo de vivência intelecto-emocional de todo aquele que deseja preservar-se e desenvolver os sentimentos nobres que se lhe encontram no cerne do ser.

Não somente o trabalho material, mas também aquele de natureza mental – oração, reflexão, meditação – deve merecer cuidados na agenda diuturna de todas as criaturas.

Ainda surgem as agressões ao trabalho por ser considerado por alguns insensatos como sendo de natureza primitiva.

Nas denominadas classes privilegiadas, representa inferioridade, exigindo-se de maneira extravagante que servos e escravos, funcionários e auxiliares tudo façam para tornar dourada a ociosidade e a preguiça, que adquirem posição de distinção e inveja.

OCIOSIDADE
Qualidade, estado ou condição de ocioso; inatividade; falta de disposição, pressa ou empenho; preguiça, indolência, moleza.

FOMENTADOR
Instigador, incitador, estimulador.

CERNE
(Fig.) Parte central ou essencial de; âmago, centro, íntimo.

DIUTURNO
Que dura muito tempo; longo, demorado.

> **FÚTIL**
> Que ou o que tem pouca ou nenhuma importância ou mérito; insignificante, inútil, superficial.

Não fosse o trabalho, às vezes, até a exaustão, e esses fúteis sequer poderiam desfrutar do poder, da fortuna inútil, da posição de falsa superioridade, porque todos permaneceriam nos embates do instinto e da ignorância.

Ao estabelecer a caridade como a máxima básica do Espiritismo, o trabalho é chamado a desempenhar o seu papel relevante e de importância na construção do ser feliz.

⚜

Trabalha sempre, utilizando-se das bênçãos do tempo para a tua realização interior.

Não escolhas o tipo de trabalho, tendo em vista ser este melhor do que aquele.

Todo trabalho que dignifica e oferece o conforto da esperança e do bem-estar é bênção que Deus concede para a conquista do Reino dos Céus.

"Reserva-te momentos para teu gáudio, tua alegria, pensando e refletindo a sós, e encerrando esses sublimes solilóquios com uma oração a Deus."

Joanna de Ângelis • Divaldo Franco

16

LIBERTAÇÃO

No complexo capítulo das perturbações espirituais, cujas causas remontam a ações passadas, deve-se reflexionar demoradamente em torno dos fatores que lhes são propiciatórios.

De natureza infantil o raciocínio, porquanto raramente se conhecem os reais motivos dos processos que enfermam as criaturas humanas, tão variados se apresentam no seu processo de evolução.

O olvido de qualquer acontecimento não anula os seus resultados, sejam saudáveis ou não.

OLVIDAR
(M.q.) Esquecer-se.

Sempre existe um estreito relacionamento psíquico e moral entre qualquer vítima e o seu correspondente algoz.

ALGOZ
Indivíduo cruel, de maus instintos; atormentador, assassino.

Anular o fator desencadeante por meio de novos atos é a forma ideal para conseguir-se a libertação. Tal não ocorrendo, torna-se inevitável o sofrimento defluente do mal praticado, aguardando retificação.

RETIFICAÇÃO
Ato, processo ou efeito de retificar(-se), de tornar(-se) reto; correção.

Nessa condição, quando te sintas sob a pressão psíquica ou emocional de persistentes pensamentos perturbadores, conscientiza-te de que estás em processo obsessivo. Uma onda mental poderosa está invadindo o teu campo racional para impor-se.

Lentamente, mas com insistência, dá-se a invasão da tua casa mental, até o momento em que passes a ceder espaço para a indução maléfica.

Não te permitas deter na imagem que carrega essa manifestação, na informação de que se faz portadora. Raciocina com paciência e examina quais são as tuas ideias, a tua forma de ser e de pensar, e essa indução anômala, que vem do exterior, tem o propósito de perturbar-te.

Evita fixar nos painéis mentais a mensagem infeliz, ilógica, doentia, voltando à poli-ideia que te normaliza o campo do raciocínio. A monoideia tem sempre caráter de morbidez, de enfermidade.

Quando tiveres dificuldade de pensar em imagens saudáveis e que proporcionam bem-estar, não duvides, pois que estás sob ação malfazeja.

Recorre de imediato à oração lenificadora, passando a reter conteúdos bons e saudáveis, à leitura edificante que invadirá a confusão mental, instalando ideias novas. Passa à conversação edificante, mesmo que te exija esforços, pois que te facultará atrair Espíritos generosos que trabalham pela harmonia da sociedade.

Não te arrimes na queixa nem em considerações pessimistas, muito menos em censuras ao teu próximo, que produzem irritação e desânimo.

A insistência do perseguidor interrompe-se caso não encontre guarida nem identidade de propósitos.

As obsessões são muito sutis no seu início, quando não irrompem em formas de surtos psicopatológicos.

Recusa, desse modo, as insinuações do mal, especialmente nos hábitos que se tornam viciosos, com especialidade no tabaco, no álcool, nas drogas ilícitas, no prazer e exagero da função sexual.

DETER
Fazer parar ou parar.

ANÔMALO
Que apresenta anomalia; anormal.

POLI-IDEIA
(Neol.) No sentido de várias ideias.

MONOIDEIA
(Neol.) Uma única ideia.

LENIFICAR
(M.q.) Lenir; tornar mais fácil de suportar; aliviar, lenificar, suavizar.

ARRIMAR
(Fig.) Apoiar-se, sustentar-se.

GUARIDA
(Fig.) Acolhimento, abrigo, refúgio.

Há mais obsessões vigendo nas criaturas humanas do que se pensa. Transitórias, acidentais, pré-natais, de breve e de longo curso, apresentam-se os distúrbios espirituais que assolam na Humanidade.

⚜

Quando te sintas liberado da constrição enfermiça de perturbações espirituais, não te creias isento de sofrê-las noutra futura oportunidade.

O Evangelho refere que o Espírito imundo abandona a casa onde se encontrava e vai, depois retorna (para examinar a hospedagem antiga), e se a encontra suja (nas condições anteriores), busca sete outros que passam a habitá-la com ele.

A imagem é perfeita, porque, normalmente, o algoz convencido do mal que está fazendo afasta-se temporariamente. Sente falta da parasitose a que se acostumara e retorna. Se permanece a área mental sem defesas morais, logo a habita e abre espaço vibratório para outros Espíritos do mesmo calibre que passam a conviver em grupo.

Trata-se de recidiva, e todo fenômeno dessa natureza é pior do que da vez primeira.

RECIDIVA
Recaída na mesma falta, reincidência.

O organismo, estando com as matrizes vibratórias sem resistências morais, é violentamente assaltado e vencido.

O indivíduo reencarnado possui os fulcros que favorecem a plugagem com os desencarnados, o que faculta a perfeita identificação das sensações.

FULCRO
Ponto de apoio; base.

Enfermidades de etiologia complicada ou de difícil identificação estão no Espírito a refletir por somatização e obsessão no organismo físico, emocional e mental.

ETIOLOGIA
Causa; estudo das causas das doenças.

Cuida do pensamento, essa poderosa antena de atração e repulsão do ser humano.

> Cultiva pensamentos otimistas, vivifica-os, delineia-os e tenta experienciá-los.
>
> Tudo começa na mente.
>
> O Espírito aspira, deseja, compraz-se e irradia-se, a mente dá-lhe forma, as células condensam-no.
>
> Superada uma indução obsessora, aproveita as bênçãos da saúde mental para vivenciares a alegria, a disposição para o bem.
>
> Reserva-te momentos para teu gáudio, tua alegria, pensando e refletindo a sós, e encerrando esses sublimes solilóquios com uma oração a Deus.

COMPRAZER — Demonstrar condescendência, anuir voluntariamente.

GÁUDIO — Júbilo; regojizo; folia; satisfação; prazer.

SOLILÓQUIO — Ato de alguém conversar consigo próprio; monólogo.

⚜

FAMÉLICO — Que tem muita fome; faminto.

Sempre que atendia as multidões famélicas de pão, de paz, de saúde e de amor, Jesus buscava a solidão para não se afastar da união com Deus, entregando-se-Lhe em dulcificadora oração.

Foge para o teu deserto interior e entrega-te, por tua vez, a Jesus, a fim de que Ele te conduza a Deus.

"Abençoa a tua existência física
mediante o respeito aos fatores
que a reencarnação coloca para viver."

Joanna de Ângelis • Divaldo Franco

17

CANÇÃO DA IMORTALIDADE

Os teus afetos que desencarnaram vivem e prosseguem conforme eram enquanto na vilegiatura carnal. Não os pranteies em desespero, porque obedeceram à soberana lei biológica ao estabelecer que tudo quanto nasce, morre.

Morrer, no entanto, não significa consumir-se, desintegrar-se no nada.

Tudo se transforma, inexistindo o aniquilamento da vida.

Qual seria a finalidade da existência, o seu significado, se a fatalidade da evolução a destruísse, nada restando?

Olha em derredor e acompanha o desdobramento do existir, a multiplicidade de experiências no laboratório do globo terrestre.

Tudo é movimento, organização, equilíbrio, e mesmo aquilo que se apresenta como desordem ou caos obedece a leis inflexíveis que o acionam, a fim de alcançar a finalidade a que se destina.

A semente intumesce-se e o vegetal triunfa, enquanto ela se desintegra, transforma-se e aparentemente morre, facultando perpetuar-se a espécie que surgirá no momento adequado, após os impositivos indispensáveis ao seu desenvolvimento, numa fatalidade que nunca deixa de acontecer.

VILEGIATURA
Temporada que se passa fora da zona de habitação habitual; temporada de recreio, férias.

PRANTEAR
Verter pranto; chorar.

DERREDOR
No espaço circundante; em volta.

INTUMESCER
Aumentar de volume.

Observa a luta em todas as áreas, desde o vírus insignificante às amebas na ansiosa e célere multiplicação, com que exaltam o fenômeno da vida.

O ser humano caminha no rumo da imortalidade, desde quando vencidas as ásperas etapas. Agora, sob a nobre conquista da inteligência e dos sentimentos, avança para a angelitude.

Esse percurso, que se deu naturalmente na sucessão dos milhões de anos, obedeceu a uma planificação anterior, sem pressa nem alteração na ordem do seu desenvolvimento.

Eles, os teus afetos, acercam-se de ti com imensa ternura e inspiram-te em tentativas de serem percebidos, ansiosos por oferecer-te notícias do que sucedeu com eles, a fim de que não incidas nos mesmos equívocos e perturbações.

Se te amaram, continuam afeiçoados e zelosos, muito se esforçando para que as tuas horas terrestres sejam abençoadas pela alegria de viver e pela oportunidade de trabalhar em favor da autoiluminação, assim como da fraternidade com as demais pessoas.

Têm nítida visão da imortalidade e anelam convidar-te à compreensão elevada dos objetivos essenciais.

Faze silêncio interior, aquieta as ansiedades e harmoniza as emoções para que os possas ouvir e sentir.

Eles te amam ainda e têm os mesmos sentimentos de saudade, ternura, anelos de convivência, aspirações de progresso.

É natural que sintas saudade e a ausência deles produza tristeza ou amargure o teu coração.

Não te constitua motivo de desnorteamento a falta da convivência física. É temporária, porque também, no momento próprio, rumarás pelo estreito corredor da morte, enquanto eles te aguardam com emoções inauditas.

A vida é de sabor indestrutível. Desde que se apresenta em qualquer forma, prosseguirá com mais complexidade até alcançar a finalidade a que se destina.

INCIDIR
Cair em; incorrer.

ZELOSO
Que tem ou demonstra zelo(s); que demonstra cuidado, esmero, atenção e aplicação no que faz; cuidadoso, diligente.

ANELO
Desejo intenso; anelação, anélito, aspiração.

INAUDITO
Que é extraordinário, incrível, fantástico.

Em todos os tempos, o fenômeno da morte constituiu uma fatalidade perversa, quase incompreensível no seu contínuo ceifar de existências.

Considera se não houvesse essa abençoada interrupção, como seria a sua continuidade na Terra? O prolongamento sem fim, assinalado por tormentos inauditos e sem a esperança da sua sucessão?

A morte é o veículo que faculta a cessação momentânea dos fenômenos físicos, materiais, sem qualquer prejuízo para a essência – a alma imortal!

Vive, porém, de maneira saudável para que os teus sejam dias bem-aventurados e a edificação do futuro seja segura para coroar-se de paz.

Utiliza-te de cada momento no carreiro orgânico para aprimorar-te e desenvolveres a Divina Essência de que te constituis.

Abandona os adornos grotescos de que te utilizas para as condições existenciais e faze-te sutil e transparente como um delicado raio de luar.

O sentido da existência terrestre é o de autoiluminação, prolongando-se pelos sem-fins da imortalidade.

Tudo o que é material experimenta mudanças.

O tempo, na sua voracidade, utiliza-se dos elementos da Natureza para tudo alterar e reduzir à poeira original.

Não, porém, a vida.

Maior concessão de Deus, recorre-lhe a oportunidade para enriquecer-te de bênçãos, que esparzirás pelo caminho percorrido, transformadas em sinais luminosos.

A dor provinda da ausência desses amores que voltaram ao Grande Lar através da morte deve ser superada pelas cálidas lembranças da convivência com eles.

Revive-os pela memória, nos acontecimentos que te alegraram, as mil nonadas dos sorrisos, mas também as

---

CEIFAR
Tirar (a vida) de; destruir, exterminar.

CARREIRO
Caminho estreito, atalho.

VORACIDADE
Voraz, intenso.

ESPARZIR
(M.q.) Espargir; espalhar(-se); derramar(-se).

CÁLIDO
(Fig.) Que irradia calor, entusiasmo.

NONADA
(Fig.) Nas pequenices do dia a dia.

experiências de dor e de aflição que te fortaleceram no convívio com eles.

Jamais te iludas com a ideia absurda do nada.

Vivem aqueles que já morreram.

⚜

A lagarta que se arrasta, graças à histólise e à histogênese transforma-se em falena leve que flutua no ar.

O ser espiritual que se reveste de carne, quando essa transformação ocorre e desveste-o, ele ascende com leveza aos páramos celestes.

Abençoa a tua existência física mediante o respeito aos fatores que a reencarnação coloca para viver. Não têm caráter punitivo ou afligente, nem são considerados plenificadores como concessões ímpares, mas resultado dos comportamentos.

Todos que se encontram na roupagem física estão em aprendizagem na escola redentora. Ninguém privilegiado, pessoa alguma na condição de condenado. As experiências de crescimento são as mesmas para todos os seres.

A sabedoria do amor inspirará a cada qual o melhor rumo a percorrer. Mantém-te atento no momento da escolha, fazendo o investimento seguro da renúncia e da abnegação hoje para a sublime compensação amanhã.

Quando se adquire consciência do significado existencial, nada a macula, porque se transforma em lição, e nada a diminui, porque a Lei é de evolução.

⚜

Diante do esquife dos que morreram, aprende a respeitá-los.

HISTÓLISE
Dissolução ou decomposição de tecidos orgânicos.

HISTOGÊNESE
Formação ou desenvolvimento dos tecidos a partir das células indiferenciadas dos folhetos germinativos.

FALENA
Designação extensiva a algumas espécies de borboletas noturnas.

PÁRAMO
(Fig.) Abóboda celeste; céu; firmamento; o ponto mais alto; o cume.

MACULAR
Pôr mancha em; sujar, poluir.

ESQUIFE
(Por ext.) Caixão de defunto; féretro.

Alguns permanecem ao lado dos próprios corpos, ouvem-te, veem-te e sentem as tuas boas ou más emoções.

Recorda de momentos agradáveis que eles captarão e se felicitarão.

Faze com eles como gostarás que te façam quando chegar a tua vez.

"Não existe a morte como cessação de vida, mas mudança de área vibratória, na qual a vida estua e vibra em totalidade."

Joanna de Ângelis • Divaldo Franco

18

NÃO SOMENTE

Necessitas viver as sensações do carreiro carnal, as atividades festivas nas quais os prazeres multiplicam-se velozes, e passam.

Nada que te impeça fazê-lo, no entanto, reserva também um espaço de tempo, limitado que seja, para levar o consolo e a alegria a outrem que estorcega nos grilhões dos sofrimentos.

Comprazes-te no banquete dos sorrisos e das conveniências fraternais, em tentativas terapêuticas para a saúde física e emocional.

No entanto, não dispões de palavras alentadoras para os que têm carência e sofrem o abandono nas ruas ou nos tugúrios de miséria econômica e social.

Aceitas compromissos para festejos de vário porte, onde te preocupas com a aparência, usando a moda mais exigente, a fim de que brilhes no concerto da sociedade desajustada destes dias tormentosos.

Apesar disso, vês com indiferença *os irmãos invisíveis*, aqueles que são olhados com escárnio ou nem sequer notados, e, no entanto, são teus irmãos no processo da evolução.

Disputas, referências encomiásticas e posições de destaque, a fim de que o teu nome e foto estejam presentes nas

---

CARREIRO
Caminho estreito, atalho.

ESTORCEGAR
Torcer fortemente; estorcer.

GRILHÃO
(Fig.) Elo invisível que aprisiona; laço, prisão.

ALENTADOR
Que ou o que alenta, estimula.

TUGÚRIO
Habitação pequena e pobre; choupana, choça, casebre.

ENCOMIÁSTICO
Referente a encômio; elogio, gabo.

colunas dos periódicos e nas redes sociais, causando inveja e apresentando o teu narcisismo doentio.

Nada obstante, comentas com palavras ásperas e ácidas as ocorrências humanas que foram inditosas para outros que tiveram as mesmas ambições e brilharam por um dia nos espetáculos da futilidade.

Acompanhas com inveja a ascensão de inúmeros lutadores que passam do quase anonimato em que vivem para os comentários em torno da sua atual posição no pódio da admiração popular, no esporte, na fortuna, na beleza...

Entrementes, a cada instante, tombam pessoas que antes eram tidas como incorruptíveis e invejadas pela situação afortunada que apresentavam.

O mundo tem os seus graves paradoxos que nem sempre são observados como deveriam ser para que se evitassem muitas desgraças e desconfortos.

Multiplica-se o número de abandonados nas praias do infortúnio, sem qualquer expressão de amizade ou de apoio, escorregando na direção dos abismos da depressão e do suicídio.

Permutas responsabilidades espirituais por compromissos sociais para não magoares os poderosos e inúteis. Entretanto, assinaste antes do berço documentos de serviços para a lídima fraternidade na Terra com aqueles que são os teus irmãos do Calvário.

Alegas que há momentos em tuas reflexões nos quais constatas que o Cristianismo é também uma doutrina masoquista, pela sua afeição à dor e ao desalento. Não refletes, apesar disso, que esse mapa de angústia existe por causa dos caminhos largos da comodidade e dos desvarios cometidos.

Teu dever hoje é reparar e encontrar na edificação do bem nas consciências os prazeres que não se convertem em lágrimas nem em angústia.

INDITOSO
Desafortunado, desditoso, infeliz.

ENTREMENTES
Nesse ou naquele espaço de tempo; entretanto, nesse ínterim, nesse meio-tempo.

LÍDIMO
Reconhecido como legítimo, autêntico; considerado como correto; puro, genuíno, vernáculo.

O bem-estar não é resultado exclusivo das sensações e explosões da ligeira viagem orgânica. Mas, também, surge nos sentimentos que vibram em harmonia com a ética do amor e da caridade.

A lei de repouso e de divertimento é consequência natural de outra, a do trabalho e da responsabilidade.

Servir é dever que se pode converter em prazer pelos efeitos emocionais que proporciona.

Adota a atividade edificadora e fruirás de inefáveis alegrias que te estimularão ao autoaprimoramento.

Há muita balbúrdia nos relacionamentos humanos e muitas refregas para ocultar os conflitos que aturdem os seus membros.

A alegria é um estado interior, rico de tranquilidade defluente da consciência edificada na verdade e no dever.

Distrair-se, repousar, fazer exercícios de qualquer jaez constituem saudáveis métodos para a renovação das forças, o equilíbrio orgânico, as competições jubilosas.

Sem qualquer dúvida fazem parte do esquema existencial. Concomitantemente, porém, és Espírito imortal, que necessita também de ginástica especializada na área dos hábitos morais, no exercício das virtudes.

Muitos correm quilômetros diariamente para manterem a forma física, os músculos em ordem e bem desenvolvidos, que lhes brindam beleza física, mas uma picada de alfinete infectado ou de um mosquito portador de vetor destrutivos produzem deformações lamentáveis e morte.

O corpo é forte, suportando várias atmosferas e situações agressivas, no entanto, é também frágil ante outras conjunturas mortíferas.

REFREGA
Combate entre forças ou indivíduos inimigos entre si; luta, confronto.

JAEZ
Natureza ou tipo específico.

VETOR
(Bioq.) Que ou o que é utilizado na transferência de material genético entre células (diz-se de vírus ou plasmídeo).

> PLASMAR
> Dar forma a (alguém, algo ou si mesmo); modelar(-se), organizar(-se).

A identificação corpo/espírito deve ser mantida com sabedoria, a fim de plasmar o teu próprio futuro.

Usa o instrumento material com respeito e afeição, sem esqueceres que os teus pensamentos e atos estão-lhe sempre programando outras experiências.

Desse modo, considera as sábias informações que retiras do Espiritismo a fim de viveres com jovialidade e paz que todos anelam.

⚜

> DESVELAR
> Fazer conhecer; revelar.

> ENGODO
> (Por ext.) Qualquer artifício utilizado para atrair alguém; chamariz, ciladas.

Quando os imortais se desvelam e narram a realidade da *Vida além da morte*, objetivam brindar conhecimento legítimo em torno do ser imortal, diluindo os fantasmas e engodos tradicionais.

Não existe a morte como cessação de vida, mas mudança de área vibratória, na qual a vida estua e vibra em totalidade.

"Agora, quando mais uma vez a Humanidade estertora, Ele distende as mãos de inefável caridade e o sublime verbo, recomendando a vivência do amor."

Joanna de Ângelis • Divaldo Franco

19

GLÓRIA INCOMUM

A turbulência espalhava-se por toda parte, e a ignorância campeava dominadora.

A dor espezinhava as criaturas humanas, reduzindo-as a animálias malcuidadas.

Em toda parte os preconceitos inferiores e as perversidades assinalavam a cultura vigente.

A esperança havia desaparecido nas mentes, e a compaixão se desfizera nos sentimentos, substituída pela indiferença ou, muito pior, pelo desprezo e perseguição àqueles que não dispunham de recursos para o banquete da ilusão.

Glórias de um dia misturavam-se a desaires para toda a existência.

Multiplicava-se, surpreendentemente, a miséria econômica, filha cruel do desamor que permanecia em triunfo por toda parte, ameaçando de crimes e rebeliões contínuos os que se encontravam no poder.

Jerusalém não fugia à regra, que se tornara generalizada, de uma à outra parte do Império Romano.

A dominação pelas legiões voluptuosas de poder aumentava a angústia e a necessidade dos abandonados à própria má sorte.

ESPEZINHAR
(Fig.) Tratar mal, com menosprezo; ofender, humilhar; tratar com tirania, com crueldade; oprimir, tiranizar, pisotear.

ANIMÁLIA
Animal irracional; alimária, besta.

DESAIRE
Ato vergonhoso, desdouro, vexame.

TRIUNFO
Condição de vantagem.

VOLUPTUOSO
Que aprecia ou procura os prazeres dos sentidos, sobretudo sexuais, ou que a eles se entrega; lascivo, libidinoso, sensual.

No palácio de Herodes, o Grande, o crime confraternizava com a legislação arbitrária, enquanto o pavor ameaçava os servos e os membros do governo. Não havia qualquer tipo de segurança ou de bem-estar, senão em breves momentos de embriaguez.

O terrível mandatário, que temia perder o poder, não sendo judeu, era pelo povo odiado, e, por sua vez, a todos odiava.

A sua existência vil não desfrutava de paz, em razão da psicopatologia de desconfiar de todos, matando indiscriminadamente.

Não poupara filhos nem a nobre esposa, acreditando-se imortal físico, sempre atento a qualquer movimento que, supondo ameaçador, esmagava com impiedade.

Foi nesse clima e nessa psicosfera enferma pelo ódio que nasceu Jesus.

O Mestre Incomparável fez-se um amanhecer de esperança e de alegria na terrível noite de horror.

Anunciado, desde há muito, como sendo o vingador vitorioso que alçaria a raça que se fizera eleita à glória solar, ocultou-se numa gruta de calcário nos arredores de Belém, a fim de iluminar o mundo para que nunca mais houvesse escuridão.

A Sua trajetória na Terra ultrapassou tudo quanto se esperava, porque deu lugar à era da ternura, da confiança e da felicidade aureolada pela paz.

Misturou-se à multidão esfaimada, enferma e desprezada, criando uma nova ordem de valores e de sociedade sob o beneplácito do amor, então desconhecido.

Semeou a compaixão e a misericórdia nos corações empedernidos, dando início à cultura da fraternidade sem jaça e da alegria transcendental.

Facilmente se misturava com o poviléu e falava o seu idioma de necessidades e sonhos, de expectativas e de paz.

MANDATÁRIO
Aquele que recebe mandato ou procuração para agir em nome de outro.

VIL
Que inspira desprezo, não tem dignidade; abjeto, desprezível, indigno, infame.

ALÇAR
Tornar(-se) mais alto; altear(-se), erguer(-se).

ESFAIMADO
Que tem fome; faminto, esfomeado.

BENEPLÁCITO
Expressão de consentimento; abonação, concordância, aquiescência.

JAÇA
Imperfeição (mancha ou falha).

POVILÉU
A camada mais baixa da sociedade; ralé.

Jamais se absteve de atender o infortúnio de qualquer forma que se expressasse.

Aqueles que O conheceram, que conviveram com Ele e a Sua mensagem jamais O olvidariam.

... E Ele modificou a conduta terrena.

⚜

Desceu das Excelsas Alturas, e, em vez de apequenar-se entre as criaturas que estertoravam na agonia e nem sempre O compreendiam, cercou-as até as culminâncias da harmonia com ternura e sorrisos de amor.

ESTERTORAR
Agonizar, arquejar, extinguir-se.

Cumpriu o programa que desenhara para a Sua vilegiatura e, no momento exato, foi traído, negado e assassinado covardemente.

Mas, apesar dessa circunstância ultriz, voltou a semear a certeza da imortalidade, confirmando os ensinamentos apresentados anteriormente.

ULTRIZ
Que se vinga, ruim.

Realizou tudo quanto enunciou e viveu na mesma situação daqueles aos quais oferecia o amor integral.

Sendo a bondade incomum, jamais anuiu com o erro e silenciou a criminalidade, omitindo-se ante a injustiça e as aberrações.

Não coniviu com os poderosos de um dia, nem os justificou nas ações perversas que se permitiam.

CONIVIR
(Neol.) Convivência; complacência, transigência ou cumplicidade para com falta ou infração de outrem.

Íntegro, tornou-se o modelo que pode e deve ser seguido por toda a Humanidade.

Retornou à Morada Excelsa, mas não se afastou daqueles a quem até hoje ama.

Agora, quando mais uma vez a Humanidade estertora, Ele distende as mãos de inefável caridade e o sublime verbo, recomendando a vivência do amor.

> **VOLVER**
> Voltar-se,
> revirar-se.

Atravessou séculos amado e odiado, dominador e dominando, conforme as paixões daqueles que se apropriaram da Sua mensagem, para volver em toda a Sua pureza na Doutrina da Imortalidade, proclamando a paz e o perdão como recursos poderosos para promover o planeta a *mundo de regeneração*.

Neste Natal, não te esqueças de Jesus, que vem sendo substituído por personagens esdrúxulos num campeonato de mercado, indiferente à dor selvagem que a quase todos conquista e abate.

Acompanha o comportamento pessimista da sociedade ou sua exaltação pelas necessidades emocionais de serem notícia na comunicação virtual, acerca-te dos irmãos em sofrimento, conforme Ele o fez, e estarás contribuindo de maneira eficaz para a instalação do Seu Reino nos corações.

Não apenas o faças neste Natal, sob as vibrações da noite santa, mas ajuda com o que possas a quem encontres, e estarás realizando a tua celebração com Ele, edificando o mundo ditoso de amanhã.

> **DITOSO**
> Que tem boa dita;
> venturoso, feliz,
> afortunado.

"Desarma-te das precauções afetivas,
anula na mente os insucessos vividos,
esquece as angústias e a ingratidão,
e deixa que o amor te dê vida."

Joanna de Ângelis • Divaldo Franco

20

A FORÇA DO AMOR

Narra-se que, em uma carta dirigida à sua filha, o gênio admirável Albert Einstein teve a coragem de declarar que a *maior força do Universo é o amor*. Considerou as quatro básicas conhecidas: a gravidade, a eletricidade, a quântica forte e a quântica fraca, sobrepondo o amor, que transcende qualquer expressão de outra ordem, como o quinto e mais vigoroso elemento responsável pelo equilíbrio cósmico.

Referiu-se ainda que, ao apresentar a primeira teoria da relatividade do tempo e do espaço, sofreu zombaria e menosprezo de outros cientistas, e tinha certeza de que, novamente, se voltariam, os adversários do progresso, a criticá-lo e desconsiderá-lo, em razão do conceito então apresentado, o amor na sua grandeza real.

Numa reflexão mais profunda, em face dessa declaração, percebe-se que o amor pode ser considerado como a *alma da vida*, levando-se em consideração que é a expressão mais vigorosa do Criador.

Na raiz dos grandes feitos da Humanidade, o amor encontra-se como causa essencial. Todas as lutas e incertezas experimentadas durante a execução da obra tornam-se possíveis por causa dessa energia poderosa que se encontra em toda parte, exteriorizada do Autor do Cosmo.

ELOQUENTE
Que revela expressividade; desenvoltura; convincente.

ESTOICO
Rígido, firme, resignado ante o infortúnio.

PRIMÓRDIO
A fase da criação ou do surgimento de (algo); origem, princípio, aurora (frequentemente usado no plural).

INEXORÁVEL
Inflexível, implacável, inelutável.

As mais eloquentes realizações do mundo, que exigiram sacrifícios inomináveis, batalhas intérminas, longas discussões que superaram os interesses políticos, sociais e econômicos, tornaram-se vitoriosas por causa do sentimento de amor que revigorava os seus idealistas incansáveis, que perseveraram estoicamente até o fim.

Pode-se dizer que o amor é a força aglutinadora das moléculas na formação de todos os elementos existentes, particularmente ricas de vitalidade.

Causa universal da vida, ei-lo manifestando-se nos seres humanos como afetividade, unindo-os e trabalhando a glória da inteligência e da razão, assim como da comunhão de ideais que vêm tornando a cultura e a civilização melhores.

Quando o amor surgiu no homem e na mulher, em período recuado, coroando os elementos dos instintos primários e fortes, iniciou-se a era da felicidade no planeta terrestre.

Anteriormente, as manifestações dos instintos – primórdios das emoções – gravitavam mais no automatismo das ações sem os correspondentes efeitos das transformações edificantes das existências.

Os progressos da Humanidade, a sua lenta saída da treva para a luz operaram-se e vêm-se realizando graças à presença do amor, que se transforma em energia vigorosa para auxiliar a construir os ideais de enobrecimento e de libertação da ignorância na marcha inexorável para o infinito.

Quando o amor irriga a alma com a sua ternura e seu encantamento, a debilidade fortalece-se e os sentimentos logram a modificação da aspereza da sua manifestação, dando lugar à doçura, à afabilidade, à beleza e ao carinho.

Mede-se a grandeza de um povo pelas expressões de amor e sacrifício que são vivenciados.

Cristóvão Colombo, amando a navegação e sonhando com terras que estavam a oeste – lembrança que trazia de reencarnações anteriores, arquivada no perispírito –, superando todas as dificuldades e impedimentos que lhe eram impostos, "descobriu" a América.

Francisco de Assis, tornando-se um ícone de Jesus, ultrapassou todos os obstáculos imagináveis, dominado pelo amor e transformado em verdadeiro símbolo de renúncia e abnegação, mudou os padrões da Igreja de Roma e alterou o pensamento vigente em torno do Evangelho.

Na coragem, a jovem Joanna d'Arc abandonou a sua modesta aldeia, convocada pelas vozes, e conseguiu libertar a França da dominação inglesa, embora pagando com a vida a grandiosa revolução do amor de que lhe falaram as vozes imortais.

Em todos os fenômenos históricos da Humanidade encontramos o amor multiface na condição de combustível para nutrir a chama dos ideais.

O martírio cristão foi fruto do sublime amor de Jesus, logrando modificar a história da sociedade terrestre...

Cientistas de escol, preocupados com os problemas afligentes do seu tempo – enfermidades, atraso moral, crueldade, ignorância –, não trepidaram em superar as perseguições de que foram vítimas e alargaram os horizontes do mundo, tais como Nicolau Copérnico, Galileu, Pasteur, Röntgen, o mesmo ocorrendo com artistas que trouxeram a beleza no coração para adornar o mundo e padeceram injunções perversas, reconhecidos somente muito mais tarde.

Todas as descobertas conseguidas durante os milênios de cultura, de ética e de civilização foram resultado do amor daqueles que se imolaram nos ideais, sem importar-se com a maldade dominante e a crueldade nefasta.

PERISPÍRITO
"O laço ou perispírito, que prende ao corpo o Espírito, é uma espécie de envoltório semimaterial. A morte é a destruição do invólucro mais grosseiro. O Espírito conserva o segundo, que lhe constitui um corpo etéreo, invisível para nós no estado normal, porém que pode tornar-se acidentalmente visível e mesmo tangível, como sucede no fenômeno das aparições." (KARDEC. O Livro dos Espíritos, 1994).

MULTIFACE
Que possui muitas faces.

MARTÍRIO
Tormentos e/ou morte infligidos a alguém em consequência de sua adesão a uma causa, a uma fé religiosa.

LOGRAR
Conseguir, alcançar.

ESCOL
Considerado melhor, de maior qualidade, numa sociedade ou num grupo.

IMOLAR
Sacrificar(-se) em benefício de; renunciar.

NEFASTO
Que pode trazer dano, prejuízo; desfavorável, nocivo, prejudicial.

> **PLATÔNICO**
> Relativo ou pertencente ao filósofo Platão ou ao seu pensamento, o platonismo (amor a distância, freq. inconfesso e idealizado; embevecimento casto pela pessoa amada).

> **INOLVIDÁVEL**
> Impossível de esquecer-se.

> **INDÔMITO**
> Não vencido ou subjugado; indomado.

Dante Alighieri alcançou as Altas esferas espirituais graças ao seu amor platônico a Beatriz, e deixou consignada a grandeza da bela jovem na obra imortal *A Divina Comédia*, quando foi levado ao Céu pelas mãos gentis da inolvidável musa.

A tragédia de Romeu e Julieta resulta da estruturação do amor dos dois jovens inexperientes atormentados pelos familiares que se odiavam, ficando um legado de renúncia e de tragédia pelo amor incompreendido.

O amor tudo pode.

Modifica vidas, transforma pigmeus em gigantes, eleva ao paraíso aqueles que se afogam no lamaçal.

Maria de Madalena é o exemplo mais eloquente desse poder de soerguimento moral sob a força indômita do amor.

Nunca temas amar, entregar-te às suas diretrizes, vitalizar-te com a sua sublime energia.

⚜

> **ENLEVO**
> Sensação de êxtase; arroubo, deleite.

Jesus refere-se ao amor com doce enlevo e vive-o em todas as suas expressões.

Experimenta amar.

Desarma-te das precauções afetivas, anula na mente os insucessos vividos, esquece as angústias e a ingratidão, e deixa que o amor te dê vida.

Verás como a felicidade te enriquecerá de alegria e vontade de navegar no oceano universal do amor, para amares também.

"Pensa em termos de imortalidade, mesmo na transitoriedade carnal."

Joanna de Ângelis • Divaldo Franco

21

COMPROMISSOS PARA COM A VIDA

Todos os seres nascemos e renascemos assinalados pelo compromisso do progresso. Sair da sombra na direção da luz para inebriar-se é o impositivo básico da existência em qualquer nível no qual se manifeste.

Quando diz respeito ao ser humano, o processo evolutivo impõe a necessidade de crescimento íntimo, faculta a conquista do divino que lhe jaz no íntimo.

À medida que evolve, mais responsabilidades lhe cabem, assumindo compromissos relevantes que mais rapidamente propiciam o crescimento para a condição de Espírito puro.

Esses compromissos dizem respeito à superação das imposições negativas que o vitimaram, e assinalam-no com provas severas ou expiações penosas.

Sob outro aspecto, apresentam-se como condição de incompletude, de frustração ou tormentos inomináveis, que devoram silenciosa ou discretamente aqueles que se permitiram desaires.

Todos os Espíritos renascem, portanto, sob leis severas que estabelecem o cumprimento de algumas regras educativas para frear as falhas do caráter e as imperfeições morais.

INEBRIAR
(Fig.) causar ou sentir enlevo; arrebatar(-se), deliciar(-se), extasiar(-se).

JAZER
(Fig.) Permanecer, persistir, continuar.

EVOLVER
Desenvolver-se gradualmente; transformar(-se); evoluir.

DESAIRE
Aparência desalinhada, mal aprumada; deselegância.

Algumas dessas reencarnações são programadas com carinho e cuidados especiais, tendo em vista as graves experiências anteriormente vivenciadas.

Crimes hediondos e reabilitações dolorosas preparam os Espíritos para empreendimentos de alta significação em favor de si mesmos, assim como da sociedade.

Aceita a tarefa e recebida a instrumentação para o desempenho do labor, retornam ao proscênio terrestre com júbilos e expectativas de alto coturno. Envolvidos pela carne e as suas heranças dos instintos, também voltam as tendências mórbidas, que devem ser superadas, a fim de haver campo mental para a sintonia com o Mais-alto.

A embriaguez dos sentidos, a utopia dos prazeres, a necessidade da fruição do gozo alojam-se nos refolhos do ser e afastam-no das responsabilidades de maneira hábil e segura.

O encantamento inicial é substituído pelo tédio, o entusiasmo dos primeiros dias cede lugar a experiências mais palpitantes. Urge o desligamento mental, emocional para culminar no de natureza física, com o definitivo afastamento das atividades que deveria abraçar com devotamento.

Nesse comenos, adversários desencarnados soezes, que permaneceram na retaguarda espiritual, acercam-se-lhe e o envolvem através de bem urdida hipnose, até conseguirem alcançar a meta, que é o fracasso.

Não são poucos aqueles reencarnados que estão comprometidos com a vida, que fracassam lamentavelmente.

A vida, em si mesma, é severa, e nada passa despercebido pelos seus controladores, que insistem na preservação dos compromissos e sua realização até o momento em que deixam por própria conta o calceta.

Não existe liberdade no arbítrio de cada um, como se gostaria. Os limites são deveres inadiáveis que não devem ser interrompidos a bel-prazer.

Tem cuidado e desperta do letargo que te está tomando as aspirações. Tudo tem preço, especialmente o prazer.

❧

Disciplina a vontade, a fim de treinares renúncia, em pequenas doses, de modo que alcances mais alto nível de abnegação e devotamento ao bem.

Seleciona os teus compromissos para executar aqueles que são de natureza eterna.

Não te isoles no teu narcisismo enganoso. Nessa atitude desvelas soberba e agressividade reprimida.

O próximo te necessita de igual maneira que dele precisas.

A solidão é má conselheira, e quando buscas as companhias, desejas somente aquelas que comprazem, que te promovem. Desperta, portanto, do engodo e volta à realidade.

Fixa-te nos propósitos imortalistas e torna-te simples, de fácil acesso.

Não te julgues inatingível. Todos têm os seus pontos fracos, a sua vulnerabilidade.

Desce do falso pedestal e considera que o futuro, mesmo o melhor planejado, é imprevisível.

Retempera o ânimo e medita nas razões que te atraíram para o bem.

Não esqueças que os teus amigos providenciaram-te facilidades, que as podem retirar sem o menor esforço.

Os compromissos para com a vida são múltiplos, não apenas para a fruição do gozo, mas também para o sacrifício pessoal, para a fraternidade.

Examina a tua folha de serviço na esteira das oportunidades e começa enquanto é tempo.

Por mais agradáveis que sejam os prazeres do corpo, sempre deixam um ressaibo de querer-se mais.

LETARGO
(M.q.) Letargia; estado de profunda e prolongada inconsciência, semelhante ao sono profundo, do qual a pessoa pode ser despertada, mas ao qual retorna logo a seguir.

DESVELAR
Fazer conhecer; revelar.

ENGODO
(Por ext.) Falsa atitude de lisonja, de adulação.

VULNERABILIDADE
Qualidade ou estado do que é ou se encontra vulnerável; sujeito a ser atacado, derrotado; frágil, prejudicado.

RESSAIBO
Mau sabor; ranço.

Ninguém te deseja impedir de fruir os gozos compatíveis com as tuas aspirações. Recorda, porém, que muitas inibições, dificuldades ora resolvidas têm origem no abuso de ontem, que deves cuidar, evitando consequências mais graves para o futuro.

Vive, portanto, em paz de consciência e evita-lhe a anestesia, porque a verdade sempre retorna, muitas vezes em forma de culpa.

Quebra o ritmo negativo das tuas paixões e começa novas experiências iluminativas.

Pensa em termos de imortalidade, mesmo na transitoriedade carnal.

⚜

No encontro de Jesus com o *moço rico* que ia disputar a corrida em Cesareia, o Mestre lhe disse, enfático: – *Vem hoje!*

Ele pediu para postergar a sua entrega para após os jogos próximos e, rico de juventude, partiu para a desencarnação na festa do dia seguinte, havendo perdido a excelente oportunidade de O seguir naquele momento.

POSTERGAR
Deixar para depois; adiar.

"Ora mais, cultiva sentimentos de
ternura e amor, que produzem hormônios
geradores de paz e de alegria."

Joanna de Ângelis • Divaldo Franco

22

INTERFERÊNCIAS ESPIRITUAIS

Delicado capítulo do comportamento humano é o que diz respeito às interferências dos Espíritos nas existências físicas dos deambulantes pelo carreiro carnal, no seu processo evolutivo.

Ignoradas de alguma forma, embora sistematicamente sempre houvesse acontecido, porém, sem um conhecimento formulado em fatos e experiências incontáveis, pode-se assegurar que são muito mais numerosas do que se pensa, sendo muito maior o número dos que lhes são vítimas, identificando-os ou não. Afirmamos que é tão constante que se poderia informar que são os desencarnados responsáveis por grande número das ocorrências humanas.

Nem sempre, porém, ocorrem de maneira insólita, clara, obsessiva com caráter de subjugação. Têm lugar de maneira sutil, mediante a invasão do campo mental, a transmissão do pessimismo, da melancolia, do autodepreciamento, das calúnias, maledicências, comentários desairosos que geram uma psicosfera doentia, própria para nutrir-se.

Insinuam-se de forma hábil e quase natural, parecendo pertencer ao campo mental da vítima as ideias que lhe são insufladas, e se assenhoreiam da área do raciocínio de tal forma

---

DEAMBULANTE
Aquele que anda, passeia.

CARREIRO
Caminho estreito, atalho.

INSÓLITO
Raro, incomum, anormal.

DESAIROSO
Que demonstra falta de decoro, de brio; inconveniente.

PSICOSFERA
Atmosfera psíquica, campo de emanações eletromagnéticas que envolve o ser humano.

ASSENHOREAR
Tornar-se senhor; apossar-se, apoderar-se.

> **MALSÃO**
> Nocivo à saúde; insalubre, doentio.
>
> **ERRATICIDADE**
> Estado dos Espíritos não encarnados, durante o intervalo de suas existências corpóreas.
>
> **PREVENÇÃO**
> Sentimento de repulsa para com alguém ou algo, sem base racional; preconceito, cisma.
>
> **SELF**
> O ego é o centro da consciência, o Si ou Self é o centro da totalidade. Self, ou Eu superior, ou Si, equivale dizer a parte divina do ser.
>
> **CAMARTELO**
> (Fig.) Qualquer instrumento ou objeto usado para quebrar, demolir, bater repetidamente.
>
> **REBOLCAR**
> Lançar, fazer rolar como bola; precipitar.
>
> **NEFASTO**
> Que pode trazer dano, prejuízo; desfavorável, nocivo, prejudicial.
>
> **PREÂMBULO**
> Palavras ou atos que antecedem aquilo que realmente se quer dizer ou fazer.

que se torna difícil estabelecer uma diferença de conteúdo entre as próprias e as perturbações que proporcionam.

Toda ocorrência malsã é trabalhada na Erraticidade inferior, onde se amontoam os infelizes, que ora se comprazem em perseguir e malsinar.

Inveja, sentimentos de vingança, prevenções e perseguições doentias caracterizam imensa faixa de desencarnados, que se envolvem no comportamento humano e geram situações embaraçosas e agressividade desalmada. Porque os impulsos internos estão fora do comando do próprio *Self*, esse controle passa a ser realizado pela mente do invasor odiento que o amplia à medida que o tempo passa.

Sendo as almas que viveram na Terra e sob a ação dos camartelos dos erros praticados, rebolcam-se no ódio e comprazem-se em infernizar aqueles que lhes dão guarida moral e psíquica.

É urgente a necessidade de alteração na conduta pessoal, de forma a gerar-se campos vibratórios propiciadores à realização do bem e da saúde.

De imediato, quando assim ocorre, os Espíritos generosos acercam-se e passam a influenciar emocional e mentalmente com beleza, imagens agradáveis, estados de euforia e bem-sucedidas realizações.

Caso permaneçam as ideias nefastas, os fenômenos mórbidos e desditosos, mudar-se de hábitos, assumir-se novas posturas mentais são a terapia que deve ser iniciada sem preâmbulo.

De imediato, Espíritos generosos acercam-se e passam a influenciar emocional e mentalmente com beleza, imagens agradáveis, que propiciam estados saudáveis e bem-sucedidas realizações.

Pode-se asseverar que de acordo com a mente, com os pensamentos, ocorrências semelhantes têm lugar no corpo, através da somatização.

Os perturbadores espirituais vigiam as nascentes do coração das suas possíveis vítimas a fim de dominá-las depois.

Quando te vejas sitiado e com a mente turbada, o raciocínio entorpecido, os sentimentos confusos e o comportamento estranho, assinalado pelo mau humor, pensa na possibilidade de encontrar-te sob inspiração inferior.

Impressões que te chegam à mente com caráter desolador são transmissões hipnóticas dos maus Espíritos interessados no intercâmbio infeliz.

Doenças repetitivas com a mesma sintomatologia, caracterizada pelo cansaço, amolentamento das ações, desinteresse pelo bem e o trabalho, surtos depressivos e insônias são típicas de perturbações espirituais.

É certo que existe expressivo número de enfermidades físicas, emocionais e psíquicas que servem de provações ou de expiações à criatura na sociedade terrestre, em razão do seu estágio de inferioridade. No entanto, mesclando-se com essas doenças ou simulando-as, Espíritos inimigos do bem são responsáveis pela sua instalação ou piora, quando possuem a sua gênese orgânica.

Em face de tal circunstância, prepara-te emocional e espiritualmente para prevenir-te desses suplícios provocados pelas Entidades perversas.

Não dês trégua aos pensamentos inquietantes.

Estabelece a lógica da crença que somente te acontece aquilo que é de melhor para ti, mediante o processo da evolução.

SOMATIZAÇÃO
Transformação de elementos psíquicos em sintomas de ordem física ou em problemas psicossomáticos.

SITIADO
(Fig.) Que está sob tensão, assediado.

TURBADO
Preocupado, aflito, agoniado.

ENTORPECIDO
(Fig.) Sem ânimo, sem intensidade; desanimado, desalentado, desencorajado.

SINTOMATOLOGIA
Estudo e interpretação do conjunto de sinais e sintomas observados no exame de um paciente.

AMOLENTAR
Fazer perder ou perder a força, o vigor, o ânimo.

SUPLÍCIO
Dor ou sofrimento violento, físico, psicológico ou moral; tortura.

Assim, permanece vigilante quanto às questões que desorganizam os teus programas dignificantes e sê simples de coração e dócil de conduta.

As conspirações das forças do mal para te desajustar são contínuas, e quando não encontrarem campo para a sintonia, buscarão pessoas insensatas, a elas semelhantes, para provocar-te.

Ora mais, cultiva sentimentos de ternura e amor, que produzem hormônios geradores de paz e de alegria.

⚜

Tu és o responsável pelas ocorrências em que te vês envolvido.

Mantém a resignação dinâmica, isto é, submete-te, mas age com retidão e persevera no bem, desse modo conseguindo manter o equilíbrio.

Cada vez que te libertares de uma situação deplorável, sentirás força e coragem para crescer na direção de Deus.

Sintoniza com o amor e serás aureolado pela paz.

"Pensa n'Ele, na Sua vida,
na filosofia que propôs.
Traze-O para conviver no lar, no teu dia
a dia, em tuas emoções e pensamentos.
Familiariza-te com os Seus ensinamentos,
incorporando-os às tuas atividades."

Joanna de Ângelis • Divaldo Franco

23

CONVIVÊNCIA COM JESUS

Dizes que é quase impossível manter a mente em clima de equilíbrio, em face das invitações aberrantes para o prazer e o consequente desgaste existencial, no qual se encontra a sociedade contemporânea.

Em toda parte, as paixões subalternas explodem com vigor, levando os indivíduos a comportamentos inexplicáveis, não fosse o baixo nível emocional em que se encontram, aumentam voluptuosamente a violência, o sexismo sempre exaltado e disputado, como artigo de uso exaustivo, devorador.

As antigas cidades de Sodoma e Gomorra parecem uma caricatura singela da agressiva realidade hodierna. Condenadas, segundo a tradição veterotestamentária, foram destruídas de maneira inclemente.

De igual maneira, ocorre na atualidade a consumpção dos corpos e das existências pelo desgaste exagerado das energias, no banquete insaciável do gozo.

As ambições do luxo e da extravagância atingem índices de quase loucura no exibicionismo virtual, no qual os fenômenos da vaidade alcançam o requinte da ausência de pudicícia e privacidade. Expõe-se o real e o fantasioso com naturalidade, chegando-se à extravagância em detrimento do equilíbrio e da sensatez.

INVITAÇÃO
Convidar; convite.

CARICATURA
No sentido de representação.

HODIERNO
Atual, moderno, dos dias de hoje.

VETEROTESTAMENTÁRIO
Relativo ao Velho Testamento.

CONSUMPÇÃO
Ato ou efeito de gastar até a destruição; consumição.

PUDICÍCIA
O mesmo que pudor.

A tecnologia, que tantos benefícios tem ensejado à cultura social, torna-se objeto de projeção pessoal e de inveja para os menos favorecidos.

Duas classes destacam-se no relacionamento humano: a dos que possuem e a dos carentes. Entre elas tem prioridade a dos que furtam e roubam, e se tornam criminosos por ódios e perversidades malconduzidos, que pretendem arrancá-los da miséria e os promoverem ao primeiro *status*.

Impossibilitados de adquirir recursos de forma lícita e mediante o trabalho, acompanham o desfilar da futilidade dourada, desejando igualar-se aos poderosos sem maior esforço de honra e sacrifício. Discriminados pela pobreza e atormentados pela inveja, recorrem ao crime em que se comprazem, aumentando os níveis de desconforto e insegurança dos demais membros da sociedade.

> BÁRATRO
> Abismo, voragem.

Nesse báratro, a dor visível, disfarçada ou desconhecida, estabelece pouso em todo o organismo social, chamando-o à razão mediante a reflexão. Sem exceção, penetra tugúrios e mansões fiel ao seu papel de auxiliar os Espíritos ao amadurecimento e ao bem proceder.

> TUGÚRIO
> Habitação pequena e pobre; choupana, choça, casebre.

Enfermidades físicas e distúrbios psicológicos mesclam-se nos seres humanos e os empurram, por falta de estrutura moral, a situações deploráveis.

Tudo poderia ser resolvido de maneira simples e exitosa, caso tivesse lugar nos comportamentos maior vigilância ao egoísmo e ao orgulho, essas chagas purulentas que ainda predominam na natureza humana.

> PURULENTO
> Em que há pus ou cheio de pus; infeccionado.

Se fossem adotadas as propostas de Jesus, como encontrar-se a plenitude, poder-se-ia viver em saudável ambiente de paz.

⚜

Procura experimentar viver um pouco mais Jesus.

Acalma as ansiedades do prazer por um pouco e silencia o desespero que urde soluções perversas para as situações mais complexas e tormentosas.

Pensa n'Ele, na Sua vida, na filosofia que propôs.

Traze-O para conviver no lar, no teu dia a dia, em tuas emoções e pensamentos.

Familiariza-te com os seus ensinamentos, incorporando-os às tuas atividades.

Observa os tipos que Ele elegeu para conviver e ficarás surpreso, considerando-se os preconceitos e caprichos da época, a situação perversa e ingrata em que viviam os miseráveis. Foram esses, exatamente, aqueles que eram detestados pela conduta que se permitiam, pela situação deplorável em que padeciam, que Ele elegeu para amigos e companheiros de convivência diária, nas tascas ultrajantes e nas ruas do abandono, levando-lhes o conforto e a esperança.

Com facilidade, no entanto, trasladava-se das baiucas sórdidas para as multidões que orientava, dando diretrizes para a edificação do Reino de Paz e de Alegria nas paisagens destroçadas do coração.

Pergunta-Lhe, quando estiveres em dúvida, qual a melhor solução, que faria Ele em teu lugar?

Descobrirás a verdadeira ventura que não te impedirá de viver no mundo, após superadas as ilusões, as fantasias de efeito frustrante. No contato com Ele passarias a ver beleza e encantamento num grão de areia como numa estrela de primeira grandeza, tanto quanto no sorriso descontraído de uma criança ou numa lágrima na face de um ancião.

Na convivência com Ele aprenderias a ter paciência e a harmonizar-te, conseguindo tornar-te um evangelho de feitos.

Não consideres as quinquilharias que abarrotam os espaços domésticos mais importantes do que os tesouros que

---

URDIR
(Fig.) tramar a execução de (um desígnio); enredar, maquinar.

TASCA
Casa de pasto reles; baiuca.

BAIUCA
Casa de pasto muito ordinária; baiuca, taberna, bodega.

QUINQUILHARIA
Algo sem importância; insignificância, ninharia.

Ele oferece e apenas ocupam a mente e o sentimento, acompanhando-te sempre.

Lê mais os Seus ensinamentos e impregna-te deles.

Conhecerás a razão do existir e trilharás a via que conduz ao pouso de segurança.

Se conseguires conduzir Jesus ao teu lar, de imediato Ele irá possuindo o teu coração, e tudo se transformará em tua vida, ensejando-te a conquista da plenitude.

Imagina o que aconteceu a Zaqueu e família naquela noite em que Ele dormiu no seu ninho doméstico! Quais teriam sido os temas tão extraordinários que modificaram completamente a existência do detestado cobrador de impostos? Qual a psicosfera que permaneceu naquele lar, após a saída d'Ele, que fez o homem infeliz dedicar-se no fim da vida ao ministério do amor e da caridade?

A sua existência nunca mais foi a mesma, e até hoje, à semelhança daquele homem felizardo, pede-Lhe para que também te visite, passe uma noite em tua casa.

"Tem cuidado com os teus pensamentos hoje, orientando-os para que alcances a felicidade legítima."

Joanna de Ângelis • Divaldo Franco

24

VÍCIOS PERTURBADORES

Todo hábito que se arraiga, gerando dependência prejudicial, é um vício perturbador que se origina, imprimindo-se no inconsciente e transformando-se em *necessidade* imperiosa que escraviza.

Inerentes aos Espíritos primários que se comprazem na sua usança, os vícios são responsáveis pela degradação da sociedade terrestre, que desatenta aos deveres, deixa-se consumir pela sua injunção penosa.

Começam na mente ociosa em forma de ideia prazerosa, fixam-se, absorvendo a atenção, e espraiam-se impedindo que o pensamento se renove, dentro da programação normal.

Instalados na tela mental, conduzem a sua vítima à busca da realização do objetivo sensorial imediato.

Quanto mais ele é vivenciado no foro íntimo, mantido pelo pensamento que anseia pelo prazer mórbido, mais dominante se torna.

A princípio é sutil, e se vai acomodando aos demais hábitos, adquirindo espaço emocional e criando raízes fortes nos alicerces do psiquismo. Logo depois, transforma-se em parasita que termina por devorar o *cavalo* em que se apoia.

> **ARRAIGAR**
> Estabelecer(-se) em estadia longa ou permanente; fixar(-se).

> **ALICERCE**
> (Fig.) Aquilo que serve de base, fundamento ou sustentáculo a qualquer coisa; fulcro.

Exige submissão e oferece a ilusão do contentamento momentâneo, entorpecente, e exaure as energias vitais na vítima, que são consumidas pela ideia absorvente e obsessora.

Os vícios campeiam em variedade indescritível, desde aqueles de natureza orgânica, psíquica, moral, social, dominando as vidas que se deixam arrastar pela senda irresponsável das superficialidades egoicas.

> SENDA
> Rumo, direção, rota.

Necessário muita vigilância em relação a eles, especialmente aqueles que defluem das frustrações e dos conflitos. Esses, os vícios mentais, os hábitos mórbidos de concentrar-se nas ideias que permitem comprazer-se interiormente, são mais difíceis de libertação.

À medida que se espraiam na mente, propõem mecanismos utilitaristas e de adaptação, criando diretrizes para burlar os impedimentos e poder fruir de gozos íntimos que ultrapassam a normalidade.

> ESPRAIAR
> Irradiar(-se), lançar(-se) para todos os lados.

Em razão da sua perigosa presença no pensamento, somatizam-se, dando lugar a distúrbios orgânicos e emocionais de graves consequências.

Heranças arquetípicas do mito de Caim passam despercebidas por suas vítimas, até quando os fatores da sua consumpção apresentam os sinais devastadores do seu trabalho ruinoso.

> GUARIDA
> Amparo, acolhimento; abrigo, asilo, refúgio.

Imagens que se cultivam pela apresentação erótica ou provocadoras da libido infelicitam o indivíduo que se deixa fascinar enquanto lhes dão guarida.

Num contexto social em que o sexo atendido se torna fator essencial para a felicidade ilusória, é quase inevitável o vício de nele fixar-se.

> MATERIALISMO
> Maneira de viver extremamente devotada aos bens, valores e prazeres materiais.

Por outro lado, o materialismo presente em muitas doutrinas espiritualistas dá margem a ambições viciosas de vária monta. Outro aspecto a considerar é o da ausência de uma cultura de amor, de solidariedade e de paz, ante o comportamento competitivista, individualista, lastreado pelo egoísmo.

> MONTA
> Quantia, montante.

> LASTRAR
> (Fig.) Propagar-se, alastrar-se.

Torna-se indispensável uma autoanálise segura para detectar-se inúmeras dependências mentais de caráter vicioso.

⚜

Procura enriquecer-te de pensamentos edificantes variados, que te proporcionem beleza, bem-estar e disposição para uma existência feliz.

Toma de alguma página edificante na literatura espírita e demora-te reflexionando no seu ensinamento, de forma que se te penetre com os significados da evolução, e automaticamente viverás monólogos e diálogos mentais superiores, tomando os espaços que seriam preenchidos pelas viciações da comodidade, dos hábitos doentios e prejudiciais.

Aonde se vai, leva-se o que se pensa, mudando-se de lugar sem alterar o comportamento mental.

Nesse sentido, o Evangelho de Jesus é riquíssimo de paisagens, imagens e narrativas que dão sentido e significado às existências humanas.

A Sua sensibilidade propôs o exame de um lírio do campo na sua expressão mágica, assim como das aves dos céus que vivem sob a proteção de Deus. Examinou um grão de mostarda e deu-lhe significado profundo no que diz respeito à fé, à confiança que se deve ter em relação à Vida espiritual e ao comportamento saudável na trajetória carnal.

Moedas, hábitos simples e comuns do cotidiano foram por Ele utilizados para compor as incomparáveis parábolas que ainda hoje encantam pensadores e humildes sentimentos incapazes de penetrarem em sutilezas teológicas.

Tudo n'Ele é claro e diamantino, portando conteúdos permanentes que podem ser usados em quaisquer lugares e situações existenciais.

EDIFICANTE
Que edifica, conduzindo ao aprimoramento e à virtude.

MONÓLOGO
Ato de falar consigo próprio; solilóquio.

Compreendeu as inquietações de um jovem que O desejava seguir, porém se encontrava atormentado pela conquista da glória estelar sem abandonar o prazer terreno, para ensinar renúncia, opção pelo melhor.

Cantou a beleza incomparável da humildade real para ensinar resignação e autossignificado humano.

Demonstrou que as enfermidades são necessárias para o despertamento do ser em relação à sua transitoriedade material...

Reflexiona, cada dia, em torno de algum dos Seus ensinamentos e vício mental algum se instalará no teu pensamento, sempre retido nas inefáveis lições com que Ele nos honrou.

Nesta época de transtornos de vária denominação, a terapia do Evangelho é a mais valiosa, sem qualquer demérito para as demais, por facultar alegria interior, esperança de plenitude e diretriz para a autoiluminação.

Lentamente, vai substituindo na tua mente certas dependências escravagistas pelas fulgurantes páginas da Boa-nova.

Seja qual for o teu vício, liberta-te, a partir de hoje, com denodo, coragem e valor, a fim de seres candidato à luz imarcescível da paz íntima.

Os vícios terrestres acompanham os seus dependentes além do túmulo, atormentando-os sem cessar.

— *Busca primeiro o Reino de Deus e Sua justiça* — disse Jesus, e somente assim será possível fruir-se harmonia.

A Terra é bendita escola de crescimento para Deus, hospital para a recuperação da saúde total e oficina de luz para a plenitude.

Tem cuidado com os teus pensamentos hoje, orientando-os para que alcances a felicidade legítima.

DEMÉRITO
Que não tem mérito ou que perdeu o merecimento.

FULGURANTE
Que brilha, fulge; brilhante, lampejante.

DENODO
Ousadia; bravura; coragem.

IMARCESCÍVEL
(Fig.) Incorruptível, inalterável, que não murcha.

"A dor é mão generosa que guia
e braço forte que submete aqueles que
necessitam de paz."

Joanna de Ângelis • Divaldo Franco

25

DORES E BÊNÇÃOS

Agradece a dor que te punge o corpo e a alma, pois que ela é bênção de Deus para o teu processo evolutivo.

Que seria do metal se não permitisse que a ardência do fogo lhe concedesse maleabilidade? Qual a finalidade do toro de madeira que não sofresse a lâmina aguçada que o fere e arranca do seu imo instrumentos valiosos para a Humanidade? Que seria da lama desagradável se recusasse o calor do Sol que a transforma em tijolo, ladrilho, vaso útil?

Assim também sucede com o ser humano ante os desconfortos proporcionados pelo sofrimento, encarregado da modelagem do Espírito, aformoseando-o para transformar-se em arcanjo sublime.

Nunca te rebeles, pois, contra a dor. Ela é a benfeitora desconhecida no processo de evolução dos seres. Deixa-se perceber, inicialmente, pelo mal-estar que proporciona sem pressa no burilamento do ser humano candidato à plenitude.

Onde existe beleza encontra-se o trabalho de harmonia, no qual se desdobraram páginas de renovação e desgaste através do sofrimento.

Bendize essa amiga detestada por muitos, que somente se apresenta onde seja necessária para o aprimoramento interior do ser humano e a sua perfeição.

PUNGIR
Magoar, afligir, atormentar.

MALEABILIDADE
Qualidade do que é maleável, flexível.

IMO
(Fig.) Muito íntimo, muito profundo; interno, recôndito.

AFORMOSEAR
Tornar-se formoso; enfeitar-se.

BURILAMENTO
Tornar mais apurado; aprimorar, aperfeiçoar.

Todos os seres a experimentam em variados graus de manifestação. No humano, quanto mais dilaceradora, maiores e expressivos os benefícios que propicia.

A estrela que fulge é matéria em elevada combustão, consumindo-se em temperaturas altíssimas.

Se pretendes os patamares da sublimação, não te detenhas nos charcos da ilusão e da comodidade.

Aprende a ascender sob a injunção provacional que te seja imposta pela Vida como tributo ao teu processo de autoiluminação. Ninguém pode ver as estrelas lucilantes se essas estiverem sob o manto de densa nuvem...

O canto de elogio à dor não se trata de masoquismo perturbador, mas de exaltação ao mecanismo ideal para a superação dos instintos básicos que ainda predominam em a Natureza.

Há dores e *dores*!

A dor que lapida a pedra bruta tem o objetivo de aprimoramento, e a dor que se deriva da revolta faz-se o empurrão para o abismo da loucura.

Todo aquele que preserva e busca viver o ideal superior experimenta, numa como noutra oportunidade, a luminosa presença do sofrimento, que transforma em vitória no percurso por onde avança.

Se te perguntarem por que os anjos amorosos permitem que sofras, responde que eles conhecem as razões de resgate dos teus acumpliciamentos com o crime, ora em recuperação. Se eles retirassem esse laurel de que se utiliza o réprobo, ei-lo na imaturidade seguindo sem rumo.

A dor é mão generosa que guia e braço forte que submete aqueles que necessitam de paz.

Sempre encontrarás razão lúcida para justificar o estilete cortante do sofrimento.

FULGIR
Fazer brilhar; resplandecer.

ASCENDER
Elevar-se em dignidade, evoluir.

INJUNÇÃO
Influência coercitiva; pressão; exigência, imposição.

LUCILANTE
Digno de apreço, atenção; ilustre, notável.

RÉPROBO
Que ou aquele que foi banido da sociedade; malvado, detestado, infame.

Conhecerás a autenticidade de alguém afeiçoado à verdade pelas condecorações dos sofrimentos experienciados.

Jesus não rejeitou a traição de Judas, nem a negação de Pedro, que O amavam.

Previu-as, sabia que sucederiam, e não os amou menos.

Abençoou os mais variados sofrimentos sabendo da ingratidão de muitos e, no entanto, a sós prosseguiu intemerato até o fim.

Todos aqueles que O seguiram com abnegação e fidelidade provaram a taça de fel e de amargura, e deram-Lhe a vida.

O Seu amor não exige que se sofra para amá-lO. Trata-se de uma consequência da própria decisão.

Enquanto o mundo favorece com mesquinhos resultados de breve duração, Ele proporciona inefável alegria sem tempo nem fim.

A matéria cumpre a elevada missão para a qual foi constituída: permitir que o Espírito execute o ministério da plenitude. Aglutina-se e desagrega-se sob a ação da energia inteligente que a comanda. Contribui para o fim superior ou para complexos mecanismos de depuração.

Desde que encontraste o Mestre Galileu, que percebeste singulares fenômenos dolorosos na tua existência. Muitos procuram-nO com a ilusão de libertar-se do aguilhão que se lhes encontra cravado nas carnes da alma. Nem sempre conseguem o anelo e é natural, porque se lhes fosse retirado o instrumento ferinte, tombariam no fosso das paixões enlouquecedoras.

Na mediunidade dispões do conhecimento da verdade, na certeza da sobrevivência e nas inebriantes consolações para as aflições que te maceram.

INTEMERATO
Não corrompido, sem mácula; íntegro, puro, incorrupto.

AGUILHÃO
(Por ext.) Ponta perfurante, espinho ou acúleo.

FERINTE
(Neol.) Que ou o que causa ferimento(s); feridor.

INEBRIANTE
(Fig.) Que provoca enleio, êxtase.

MACERAR
Sentir angústia, afligir(-se).

Deves entender, no entanto, que a faculdade é portadora de metodologia santificante para o seu portador.

O denominado *calvário dos médiuns* realmente tem sentido, por ser via de superação da inferioridade moral.

Através dela penetrarás no mundo subjetivo e vivenciarás a Vida espiritual que te fascinará, atraindo-te para fruí-la desde agora na roupagem orgânica.

Os tempos modernos e acomodatícios, ricos de indolência e futilidade, liberam divertimentos e prazeres variados, evitando testemunhos e devotamento afetivo.

Jesus pede fidelidade e doação, renúncia e abnegação.

Aprende a encontrar essas concessões quando sofras.

Serão fáceis de alcançadas, porque, no seu suceder, propiciam venturas e paz insuperáveis.

⚜

Fiel ao objetivo que abraças, não rejeites os testemunhos que te sejam impostos pelas Soberanas Leis da Vida.

Aceita-os como qualificação para melhores resultados da tua empresa libertadora.

Acima e além de quaisquer outras excogitações, alegras-te quando sofrendo, porque esse é o sinal de que estás na trilha certa, no caminho redentor.

ACOMODATÍCIO
Que se acomoda com facilidade; acomodável, adaptável, transigente.

INDOLÊNCIA
Ausência de dor; caráter do que revela indiferença, apatia; distanciamento.

EXCOGITAÇÃO
Criar pela imaginação; cogitar, imaginar, inventar.

"Mantém a alegria de viver e transforma a tua jornada em uma senda de bênçãos, rica de contribuições de paz e serviço."

Joanna de Ângelis • Divaldo Franco

26

ESPERANÇA DE PLENITUDE

O pranto que vertes em abundância, qual cascata exuberante ante a desencarnação do ser amado, passará com todo o seu cortejo de aflições, embora permaneça a ausência física do afeto em maceração contínua.

A saudade que estiola a alegria de viver, abrindo um imenso vazio existencial, diluir-se-á lentamente, porém, as recordações afetuosas continuarão como marcas de ternura e vivência da emoção.

Sem dúvida, na vida a morte é um fenômeno de significado trágico que fere as existências humanas sem cessar.

Por mais larga ou breve seja, a fatalidade biológica alcança o ser, convidando-o a reflexões tardias e lamentáveis.

Trata-se, porém, de uma lei inexorável e fatal da Vida.

Nenhuma expressão organizada de matéria permanece indefinidamente, sempre sofrendo alterações que são impostas pelo passar do tempo

Os seres sencientes experimentam essas mudanças, experienciando alegrias e dores, alterando a sua organização até o momento final em que se desarticulam as moléculas e advém a morte.

Nenhuma dor é tão ferinte quanto aquela propiciada pelo corpo inerte do ser querido que acaba de sucumbir sob o

PRANTO
Choro; ato de lastimar-se; queixa, lamentação.

VERTER
Fazer correr ou transbordar.

ESTIOLAR
Debilitar, enfraquecer.

INEXORÁVEL
Implacável, fatal, inelutável.

SENCIENTE
Que sente, que percebe pelos sentidos.

ADVIR
Ocorrer, suceder a; acontecer.

INERTE
Desprovido de movimento, que não dá sinal de vida; imóvel, inanimado.

flagício final. Entretanto, é importante considerar-se se esse é, realmente, o momento último da vida, se tudo se consome e desaparece para sempre.

Necessário educar-se o ser humano para a compreensão da sua ocorrência, trazendo-a para o convívio diário, em vez de evitar-se a abordagem ou mesmo rápidos comentários.

Esse fenômeno biológico, no entanto, ao invés de gerar transtornos emocionais e de outra natureza entre os amores que permanecem na organização somática, deve ser examinado de maneira diferente. Considerar-se que se trata da culminância da jornada iniciada no nascimento e sem data fixa para ocorrer é necessário.

É compreensível que tudo que começa deve ter o seu momento de terminar.

Aguardar a ocorrência deve tornar-se uma rotina, como o hábito de viver. Ademais, pelo seu efeito extraordinário, que é o de não interromper a vida, mudam-se o aspecto, as circunstâncias e manifestações, mas prossegue o existir, a sua finalidade, que é o progresso infinito.

Sendo a vida em si mesma um processo constituído por dois elementos, o espiritual e o material, predomina o de importância relevante, que é o de natureza imortal.

O espiritual é causal, portanto, definitivo, sendo o de natureza orgânica importante, mas transitório, com a finalidade de desenvolver-se os valores preciosos que aguardam essas condições para expressar-se.

Dessa forma, o ser, que é inextinguível, exige o máximo de investimento durante a sua vilegiatura carnal, laboratório onde se trabalham os elementos básicos da sua inextinguibilidade.

Se assim considerares o fenômeno vida, terás mais resistências para enfrentar as vicissitudes do caminho evolutivo, compreendendo, embora a dor da ausência, tudo quanto é indispensável ao crescimento para Deus.

Não te magoes nem te desesperes ante a desencarnação do ser amado. Considera as circunstâncias em que se deu e ajuda-o, com o teu imenso carinho, a preservar o equilíbrio no país e região para onde retornou.

Reflexionas a respeito da fragilidade orgânica, das ocorrências funestas por meio de doenças degenerativas, paralisias ou sofrimentos indescritíveis, caso o anjo da tua ternura não encontrasse o encerramento dessas aflições e as tivesse de enfrentar longamente, vivendo no corpo, quando este é somente uma veste.

Amando-o, bendize sabê-lo livre do desespero, do calvário vivo na cruz da redenção.

Por tua vez, enquanto ficas no corpo, recorda que também chegará a tua vez, e que deves viver de maneira que nada te retenha nas aflições terrenas, nem haja sido a tua jornada um círculo estreito de perturbações.

RETER
Guardar, conservar.

Desenvolve os sentimentos do amor que vige no teu coração e amplia-o ao infinito, fazendo todo o bem que te esteja ao alcance.

Valoriza a oportunidade preciosa, tornando-te útil ao teu próximo e à sociedade na qual te encontras.

Mantém a alegria de viver e transforma a tua jornada em uma senda de bênçãos, rica de contribuições de paz e serviço.

Recusa os chamados aos prazeres entorpecentes, que embriagam de júbilo momentâneo e se convertem depois em suplício e arrependimento enlouquecedor.

Ama as questões simples e vive com simplicidade, sem as complexas quinquilharias da vaidade e da ilusão.

Pensa no próprio e no bem-estar do teu próximo.

Sê a esperança daqueles que perderam o rumo e se encontram na borda do abismo que os consumiria...

Fica atento a qualquer chamado da caridade, embora seja a tua uma vida normal, sem exageros de qualquer natureza.

Faze pelos outros tudo quando doarias ao amor que viajou, em sua homenagem com a alegria que a ele o farias.

Recorda-te de Jesus.

Utilizou-se de ocorrências comuns e habituais para compor a orquestração das parábolas, a fim de resguardá-las e preservar os seus conteúdos sábios e insuperáveis.

Os tempos passaram, enquanto Ele permanece incólume, insuperável.

A simples lembrança d'Ele e dos Seus feitos faz pulsar com mais vigor o órgão cardíaco e o corpo freme de emoção.

Ele ouve-te e participa das tuas dores e ansiedades.

Confia n'Ele.

⚜

A cada instante a morte arrebata uma vida. Esse é seu mister.

No teu caso, como em todos, é indispensável preservar a esperança da imortalidade, quando voltarás a ser feliz, com os amores que partiram e, no entanto, te esperam em júbilo.

ORQUESTRAÇÃO
(Fig.) Ato ou efeito de orquestrar; planejar; articular, organizar.

INCÓLUME
Permanece igual, sem alteração.

FREMIR
Vibrar, tremer; agitar-se interiormente.

MISTER
Trabalho; ofício.

JÚBILO
Alegria extrema, grande contentamento; jubilação, regozijo.

"Jesus te colocou exatamente onde és
necessário e podes contribuir
para o bem geral."

Joanna de Ângelis • Divaldo Franco

27

IMPEDIMENTOS

Anelas pela honra de servir, fascinado pela excelência do Evangelho de Jesus e sua vivência.

Percebes que dispões de tesouros valiosos para serem aplicados no trabalho de edificação do mundo novo.

Desejas devolver em luz toda a sombra que conseguiste vencer ao longo da existência.

Pretendes diminuir as dificuldades que atulham os caminhos dos peregrinos da evolução, nas suas lutas redentoras e nos desafios que, não poucas vezes, constituem impedimento ao avanço libertador.

Tens capacidade para identificar os desafios e dispões de recursos para os solucionar, mas nem sempre consegues vencer a inércia que te toma inesperadamente, levando-te ao desencanto.

As tuas energias estão solicitando movimento e gostarias de servir mais e mais, apesar de contemplares a seara rica de oportunidades, sem que te resolvas por arregaçar as mangas da camisa e suar nos longos tratos do solo dos corações.

Estás disposto a entregar-te à atividade caridosa, mas parece que há impedimentos que não consegues entender e, sem que te dês conta, postergas o momento de superar-te...

ANELAR
Desejar ardentemente; ansiar, almejar.

ATULHAR
O mesmo que entulhar; encher um espaço em demasia.

INÉRCIA
(Fig.) Estado de abatimento caracterizado pela ausência de reação, apatia.

POSTERGAR
Deixar de preferir; preterir, desprezar; negligenciar, descuidar; adiar.

Percebes que o tempo de que dispões deve ser canalizado para abrir veredas, corrigir trajetórias, ampliar horizontes, e permaneces fitando o campo de trabalho, transferindo para depois...

Jesus te colocou exatamente onde és necessário e podes contribuir para o bem geral.

Gostas de cantar aleluias, porém, deverás fazê-lo com as mãos no trabalho e o pensamento no Amor de Deus.

Vens tentando dar um colorido novo aos teus dias, porque és dinâmico e esta é a ocasião que esperavas. Todavia, constatas que não é tão fácil a execução do programa que elaboraste para pô-lo em prática.

As criaturas humanas, invariavelmente, não gostam de contribuir, mas de competir, acreditando que todo auxílio que lhes chega está carregado de interesses subalternos, o que não é verdade.

Sorriem e obstruem o espaço de que necessitas para aplicar as tuas energias. Sucede que todo espaço, quando permanece vazio, é sempre preenchido pela inutilidade ou o desequilíbrio.

Alguns enfezam-se contigo para desanimar-te e cais nas suas armadilhas perversas.

Não cumprem com os deveres que assumem, nem aceitam a tua cooperação.

Há um vício nos indivíduos que os tornam egoístas e difíceis.

Convidados ao trabalho do bem, transferem-se do compromisso de servir para tornar-se proprietários do labor, tentando controlá-lo, a fim de se fazerem importantes, imprescindíveis.

Expulsam-te da área em que se pavoneiam, embora a necessidade imensa que têm de ti.

LABOR
(M.q.) Trabalho.

PAVONEAR
Exibir(-se) com ostentação.

Dão-te a impressão de que és inútil e os teus são serviços dispensáveis, isto quando não te apontam como intrometido, perturbador.

Não estranhes esse comportamento déspota e insensato.

> **DÉSPOTA**
> Que ou o que revela caráter autoritário e tirânico.

Graças a eles a Humanidade perde as suas raízes, as suas tradições, a sua história.

Insiste nos teus objetivos, não os valorizando quanto se atribuem e, à semelhança da gramínea humilde, atapeta com delicadeza o solo que bordarás com o verde da esperança.

Todas as criaturas renascem para evoluir, caracterizando-se por qualidades específicas.

Graças à sua variedade existe a harmonia do conjunto. Tudo e todos são importantes no Universo, mesmo os aparentemente mais insignificantes.

Uma leve pluma que se agita em qualquer parte produz ressonância no cosmo infinito.

A tua deve ser a cooperação que nasce na augusta fonte da fé cristã.

> **AUGUSTO**
> Magnífico, majestoso, solene.

Jesus deu o exemplo do trabalho incessante e jamais se deteve.

Chamou doze amigos para que cooperassem com Ele, embora fosse o Mestre Incomparável.

Honrou o trabalho e estimulou os companheiros à solidariedade, à compreensão, à ajuda recíproca.

Sem dúvida, havia ciúme, desconfianças, lutas intestinas entre eles, mas Ele não desanimou.

> **INTESTINO**
> Que ocorre no interior de um corpo social, ou da alma; interno, íntimo.

Equipou-os com os sublimes sentimentos do amor, preparando-os para a ascensão e o porvir.

> **PORVIR**
> O tempo que está por vir, por acontecer; futuro.

> **MOUREJAR**
> Trabalhar muito (como um mouro); afainar(-se).

Na seara em que mourejas e te sentes maltratado porque desejas ajudar, onde encontras má vontade e face congestionada, prossegue servindo.

Não dê importância ao mal que neles ainda domina.

A seara é de Jesus, e foi Ele quem te convocou à tarefa.

Se cada um desistisse de servir ante a resistência da má vontade de outros, o mundo humano estaria pior.

Reveste-te de compaixão por eles, os obstaculadores, e prossegue servindo sem constrangimento.

Recorda-te da gentil parábola dos talentos e aplica àqueles que te foram confiados, sem pensar em outra coisa, senão multiplicá-los.

Faze-o com alegria até o momento da prestação de contas com Aquele que os confiou a ti.

Sorrirás de júbilo por veres a sua utilidade e multiplicação.

> **OBSTRUIR**
> Interpor um obstáculo à passagem ou circulação.

Não desistas, nunca, do bem, por obstrução dos egoístas.

Não deixes que te paralisem a movimentação e manietem as tuas mãos.

> **MANIETAR**
> Atar as mãos; tirar a liberdade.

A seara permanece grande e os seareiros ainda são poucos, e alguns deles são estúrdios.

❦

> **ESTÚRDIO**
> Que ou pessoa que não tem juízo; imprudente; insensato; estouvado.

Engrandece os teus dias com a glória do teu serviço. Faze dele a tua marca registrada, que assinale a tua passagem pela Terra.

> **TITUBEAR**
> Ficar em estado de irresolução, incerteza, perplexidade; hesitar, vacilar.

Nenhuma angústia, nem titubeio algum.

Servir e embelezar o mundo é o teu fanal.

Tudo passa, mas o amor permanece e o Cristo triunfa.

> **FANAL**
> Farol, facho de luz; (fig.) guia, luz intelectual.

"Desarma-te da dúvida sistemática e perversa que te afasta da ética de Jesus e te arroja no labirinto da insensatez e da indiferença."

Joanna de Ângelis • Divaldo Franco

28

SOBRE A DÚVIDA

A verdade integral constitui a divina sabedoria que é alcançada etapa a etapa no carreiro longo das reencarnações.

Experiências bem e malsucedidas contribuem de maneira eficaz para o aprendizado, na incessante busca do aperfeiçoamento intelecto-moral.

Muitas conquistas que aparentam ser legítimas, após vivenciadas, demonstram a sua fragilidade, abrindo espaços mental e emocional para retificações e mais amplo desenvolvimento de conteúdo.

Por isso, ninguém pode detê-la ou absorvê-la de um para outro instante.

A sua própria constituição é feita de profundas reflexões que devem ser digeridas psiquicamente, à medida que se incorporam à existência, tornando-se fenômeno natural de comportamento.

Jamais se apresenta total, completa, em razão da sua grandiosidade, que ultrapassa o que a imaginação pode conceber.

Alcançá-la é a meta que se encontra destinada ao Espírito, esse viajor da imortalidade.

Em cada oportunidade existencial desenvolve-se determinada aptidão, penetrando-se o cerne no qual se origina, a fim de abranger outras áreas que formam a sabedoria.

CARREIRO
Caminho estreito, atalho.

RETIFICAR
Tornar reto; alinhar; endireitar, corrigir.

VIAJOR
Aquele que viaja; viajante, viageiro.

CERNE
(Fig.) Parte central ou essencial de; âmago, centro, íntimo.

Fosse absorvida de uma vez, alucinaria o seu portador, em razão da impossibilidade de dosá-la de forma ideal.

Pequenas quotas, à semelhança de raios de luz, terminam por fazer o espectro perfeito da totalidade.

Em razão da indumentária carnal, bloqueia o claro discernimento a princípio, faculta a percepção do conhecimento e amplia os horizontes da mente para mais amplas aquisições.

É natural que, em face da ignorância, cada informação nova conduza a dúvidas, ao receio de enganar-se, nem sempre se comprometendo com a sua absorção.

Duvidar, portanto, é fenômeno intelecto-moral de alto significado na aprendizagem.

No primeiro caso, o desconhecimento dos mecanismos de algo novo produz suspeita quanto à sua legitimidade. Em segundo lugar, a revelação do ignorado impõe inevitáveis mudanças na conduta, a que o indivíduo se vê impelido à aceitação ou à negação, para adaptar-se ao novo hábito.

A dúvida que não se deriva da má-fé é recurso mental para consolidar qualquer crença ou informação que surge no desenvolvimento do ser humano. É atitude saudável, porque conduz o raciocínio a perquirir, a comparar, a estudar.

Quando o entusiasmo antecipa a razão e a lógica, após algum tempo perde o impulso por constatar a fragilidade do que se abraçou sem a necessária reflexão.

As ideias variam de mente para mente, mesmo quando são idênticas. Isso porque o foco está na base do interesse daquele que a concebe ou a quem é transmitida.

Jesus foi portador de lógica incomparável, ao enunciar:
— *Se não credes naquilo que vedes, como acreditareis no Pai, a quem ninguém nunca vistes?*

Os fenômenos por Ele realizados demonstravam a Sua superioridade de taumaturgo, e, apesar disso, a dúvida mes-

---

ESPECTRO
Conjunto ou série de elementos que formam um todo.

INDUMENTÁRIA
Veste; roupa, indumento, induto, vestimenta.

PERQUIRIR
Efetuar investigação escrupulosa; inquirir de maneira minuciosa; esquadrinhar, indagar.

TAUMATURGO
Que ou quem opera milagres; adivinha; visionário.

quinha e cômoda tomava conta dos Seus beneficiários, logo passava o momento de exaltação.

⚜

A realidade contemporânea através do avanço das doutrinas modernas, quais a Física Quântica, a Biologia Molecular, exara que "é primeiro crer para depois ver".

> **EXARAR**
> Registrar por escrito; lavrar.

Equivale à afirmação de que o pensamento parte do abstrato para o concreto, isto é, da concepção, da possibilidade, para a sua realidade física.

No que diz respeito à crença religiosa, a dúvida tem sido uma nuvem densa a cobrir a imortalidade da alma, buscando sempre negar-lhe a legitimidade. Criam-se hipóteses absurdas para explicar-se a fenomenologia mediúnica, por exemplo, e, por efeito, os seus conceitos morais.

Quando se investiga uma comunicação provinda do Além-túmulo, não raro se recorre a teorias ultrapassadas para negar-lhe a autenticidade, com certo prazer de continuar-se bem vivente.

O resultado das comunicações espirituais sérias é de preparar-se o Espírito encarnado para o enfrentamento do futuro, equipado de valores éticos propiciadores de paz e de plenitude.

Não se desintegrando a consciência, ei-la que ressurge com toda a potencialidade de que se constitui, com toda lucidez, facultando análise rigorosa do comportamento, a fim de prosseguir-se na vida da qual ninguém se evade.

Pesquisadores honestos, no entanto, ao convencerem-se da fatalidade imortalista, de imediato adotam comportamento compatível com a continuação do existir e transformam-se em verdadeiros apóstolos da verdade que neles luz abençoada.

Dúvida não representa necessariamente descrença ou suspeita, mas cuidado e respeito pelo conhecimento novo, de modo que possa ser adotado com tranquilidade e segurança.

⚜

Toda vez quando a dúvida te visitar, analisa com naturalidade a informação, a fim de tomares a decisão correspondente.

Desarma-te da dúvida sistemática e perversa que te afasta da ética de Jesus e te arroja no labirinto da insensatez e da indiferença.

A crença bem fundamentada é elemento base para uma existência equilibrada e uma caminhada compensadora.

A dúvida-medo de Pedro levou-o a negar o Amigo.

A dúvida-ambição de Judas conduziu-o a trair o Benfeitor.

E as tuas dúvidas, quais os resultados te facultaram?

Duvida para investigar e, ao definir-te pela crença, ama, serve e ilumina o caminho para a multidão que seguirá após ti.

> ARROJAR
> Atirar-se (a algo) com precipitação, sem considerar as consequências.

"Hoje é o teu dia de amar."

Joanna de Ângelis • Divaldo Franco

29

REENCONTROS

A chuva generosa que irriga o solo dando-lhe vida e mantém a vegetação retorna à nuvem da qual se origina.
A madeira que se decompõe é transformada em adubo para o ressurgimento em outras expressões.

O barro humilde modelado que é levado ao fogo para preservar-se um dia volve ao solo e se mescla novamente com os elementos que o constituem.

Tudo volve às suas nascentes.

A existência transitória é um ir e vir contínuo – Mundo espiritual e mundo físico –, até o momento da efusão de amor que tudo e todos integra em harmonia cósmica.

De igual maneira sucede com as criaturas humanas.

Nascendo e renascendo para desenvolver o seu *deus interno* enquanto intelectualizam a matéria, unem-se umas às outras, gerando vínculos de afinidade que imporão reencontros contínuos na jornada evolutiva.

Esse mister responde pelos laços de família que desenvolvem a fraternidade e fundamentam o indissolúvel amor no futuro.

Afeições profundas e desafetos ferrenhos procedem de vivências felizes ou desventuradas em existências anteriores, que forjaram os vínculos de uma ou de outra expressão, agora ressurgindo como necessidade de ampliar a área da ternura e refazer o caminho gerador da animosidade, semeando amizade.

VOLVER
Revolver-se, revirar-se, voltar-se.

EFUSÃO
Manifestação expansiva de sentimentos amistosos, de afeto, de alegria.

MISTER
Necessidade, trabalho.

ANIMOSIDADE
Má vontade constante; aversão, rancor, ressentimento.

> **PERISPÍRITO**
> "O laço ou perispírito, que prende ao corpo o Espírito, é uma espécie de envoltório semimaterial. A morte é a destruição do invólucro mais grosseiro. O Espírito conserva o segundo, que lhe constitui um corpo etéreo, invisível para nós no estado normal, porém que pode tornar-se acidentalmente visível e mesmo tangível, como sucede no fenômeno das aparições."
> (KARDEC. O Livro dos Espíritos, 1994).

> **ARQUÉTIPO**
> Significa um modelo original, uma espécie de matriz do comportamento humano. Eles são elementos primordiais e estruturais da nossa psique. Eles se manifestam em nível pessoal através dos complexos (todo complexo tem como núcleo um arquétipo) e coletivamente através das características culturais.

> **PÁTRIO**
> Relativo a, ou próprio de pátria.

> **ESCUSAR**
> Recusar-se, negar-se.

> **INAMISTOSO**
> Não amistoso; grosseiro, hostil.

Essas experiências transatas foram responsáveis pela afetividade que desempenha fundamental importância no comportamento de cada qual.

São essas circunstâncias que geram a grade escolar da vivência no educandário terrestre.

A memória profunda do perispírito encarrega-se de selecionar as informações que proporcionam o crescimento intelecto-moral na direção da plenitude.

Desafios e provas atuais, bênçãos e harmonia resultam desses momentos passados que se expressam, contribuindo para que se alcance a liberdade das marcas profundas ou arquétipos definidores do comportamento.

Renasce cada Espírito no corpo físico para aprender e aprofundar-se na sabedoria universal e se enriquecer de paz após o trânsito afligente.

Os grupos étnicos evolvem em raças que lhes facultam a ampliação de necessidades que contribuem para a aquisição do amor fraternal, a fim de superar qualquer forma de preconceito ou presunção.

O amor pátrio, em razão das múltiplas experiências em diferentes núcleos terrestres, expande-se na necessidade afetiva universal por descobrir os mesmos valores com os quais todos se identificam em uma emoção comum.

Jesus acentuou a Sua ancestralidade ao anunciar que "antes que fôssemos, Ele já o era", deixando-nos a segurança de que O atingiremos um dia...

⚜

Não te escuses à união fraternal e vence as antipatias que alguns reencontros te proporcionam. São almas inamistosas que retornam ao teu caminho para a reparação.

Guardas mágoas inconscientes e crês que volverão a fazer-te mal qual antes ocorrera. Talvez sejas tu aquele ofensor que carrega culpa e evita o confronto.

Nada ocorre como fenômeno do acaso, da desorganizada lei da coincidência.

Há uma hábil programação em todas as vidas, em todas as existências.

Mentes sábias estabelecem diretrizes e programas para o processo de iluminação das criaturas.

Não recalcitres hoje, a fim de que não tenhas que repetir mais tarde em condições menos favoráveis.

> RECALCITRAR
> Demonstrar resistência para obedecer; não ceder; obstinar-se.

Aquele que se te faz adversário também ignora a razão por que não gosta de ti. Age por automatismo. No inconsciente está a razão dominante que a reencarnação impõe como sendo mecanismo de reajuste com as Leis Divinas.

A Psicologia francesa expressa a questão no célebre conceito *déjà-vu*, de já senti, demonstrando que essa *memória* sutil que nos demonstra já haver visto, já haver sentido, embora numa visão materialista, expressa uma realidade de alto significado e de legítima realidade.

Todos são o próprio passado que modelou a nova envoltura material, assim como determinados acontecimentos que sucederão, tanto na área da afetividade como em outras ocorrências, tais saúde, posição social, econômica, emocional, situados onde ora se encontram.

Desse modo, torna-se indispensável que através de novos hábitos saudáveis sejam reparados os dramas dantanho, enquanto está em elaboração de futuros comportamentos nas existências porvindouras.

> DANTANHO
> Passado, antigo.

É indispensável que, sejam quais forem as circunstâncias existenciais, todas as ocorrências obedecem a uma programação muito bem elaborada com finalidade imortalista, no rumo da plenitude.

Sempre sucederão fatos que parecem não estar na trajetória de cada pessoa.

É uma forma equivocada de observar a vida, que se expressa de maneira impositiva.

Todos os seres alcançarão os Altos Cimos da Vida.

> **CIMO**
> A parte de cima; alto, topo.

Entretanto, ninguém logrará o êxito sem o indispensável resgate dos enganos, dos equívocos, propositais ou não.

Eis por que a caridade desempenha um papel preponderante na conduta humana, em razão de ser o amor em estágio mais elevado.

Desse modo, não repilas aquele que te não é simpático, devolvendo-lhe a onda de animosidade. Tenta captar-lhe a simpatia e, se te sentes atraído por outrem, num ato de empatia, amplia o sentimento e permite que o amor cresça no teu mundo íntimo em relação a esse próximo.

Hoje é o teu dia de amar.

As venerandas luzes do Evangelho clareiam a tua mente, a fim de que dulcifiques os sentimentos.

> **DULCIFICAR**
> (Por mtf.) Atribuir ou adquirir suavidade; abrandar(-se).

Distribui do teu celeiro de conhecimento e de compreensão migalhas de esperança e fé, faculta o amanhecer para essas almas em plena escuridão na sua noite de ignorância.

Tu estás preparado para o mister.

Sofreste para teres uma ideia da aflição e facilmente compadecer-te daquele que sofre.

Não permitas que o teu sofrimento faça de ti um ser insensível.

Permite-te penetrar pela compaixão e recebe todos com a chave da ternura, ensejando-lhes mudança radical de perspectiva.

De forma alguma adiciones fardos aos conflitos que te suplicam ajuda.

Renasceste para ampliar na Terra o Reino de Deus que se implantará sob o impositivo do progresso inevitável.

Contempla o rebanho social e verás ovelhas desgarradas fugindo de si mesmas.

Atrai-as cantando o hino da alegria bordado de confiança.

Hoje, ou melhor, agora é o teu santo momento de auxiliar sem muita demora.

Semeia o bem, portanto, e semeia-o sem preocupação.

Amanhã retornarás ao mesmo caminho e, inevitavelmente, serás convidado à colheita.

Não encontrarás outra senão a gleba que percorreste.

GLEBA
Terra em que se nasce.

Permite-te meditar na finalidade existencial e, ao invés de tê-la vazia, inunda-a de ações que te dignificarão a caminhada.

Reencontrarás os teus afetos de hoje assim como aqueles em que, por negligência, cravaste espinhos nas *carnes da alma*.

As úlceras morais que escondes foram infectadas ontem com as tuas paixões asselvajadas...

Nos teus momentos de hoje, dilata o amor e sê feliz.

Conheces Jesus e Ele penetrou-te de tal forma que despertou o teu sentimento de lídima fraternidade.

LÍDIMO
Reconhecido como legítimo, autêntico.

Já não és o mesmo. Novos caminhos de amor vens percorrendo e encontraste a bênção da alegria graças ao amor.

Em breve, não apenas tu, mas toda a Humanidade estará dominada por esse sentimento sublime, e o mundo de regeneração será estabelecido para a felicidade de todas as criaturas humanas.

"Mantém acesa a tua lâmpada de amor, trabalhando-te e servindo sem cansaço nem inquietação, louvando Aquele que te conduz à Vida cercado de carinho."

Joanna de Ângelis • Divaldo Franco

30

TESTEMUNHOS À FÉ

Jamais te permitas agasalhar a tristeza no teu íntimo, seja qual for a situação em que te encontres ou a ocorrência que te aflija.

A melancolia é má conselheira, por sombrear a razão e abrir espaços aos fantasmas da amargura, tingindo de negro as nuvens da esperança, sem que permitam a claridade dos raios de sol da evolução.

A existência física é um hino ao progresso, e os acidentes de aparente dificuldade que surgem são desafios ao crescimento interior, de que necessitas para a conquista da plenitude.

Permite que os sonhos bons permaneçam contigo, auxiliando-te a sorrir e a confiar no futuro, ao invés de deixar-te empurrar para as províncias do desencanto porque neste momento não se realizaram...

Desse modo, não facultes que se te obscureçam os caminhos a percorrer.

São essas situações que proporcionam o amadurecimento psicológico e fomentam a segurança moral e o crescimento íntimo.

Nunca faltarão no percurso que elegeste para o desenvolvimento ético-moral esses fatores que aos fracos mais de-

> **OBSCURECER**
> Tornar(-se) escuro ou menos claro, menos distinto; privar de luz; apagar(-se).

bilitam, aos idealistas desafiam, aos afervorados nos ideais de beleza esmaecem...

> **ESMAECER**
> Perder o vigor; enfraquecer.

Intercambiando contigo através de contingências das leis do progresso, outros seres, que já se libertaram do corpo mas não das suas paixões inferiores, comprazem-se em atormentar as criaturas humanas e acercam-se de ti, impondo ideias e conflitos inquietadores.

Alguns estão vinculados às tuas existências transatas, outros se arruinaram durante a jornada humana e permanecem ressentidos contigo porque os molestaste, mais outros, dominados pela inveja ou o ódio, formam legiões de inimigos do bem que não desfrutam e buscam sitiar-te a mente.

> **TRANSATO**
> Que já passou; passado, pretérito, anterior ao atual.

Na sua sandice, acreditam-se como forças poderosas do Universo, a serviço do atraso moral e das sensações grosseiras.

> **SANDICE**
> Dito, pensamento ou ação a que falta lógica, nexo, ou está fora da realidade; contrassenso, loucura.

Vivem e, sentindo-se infelizes, tudo fazem para atormentar os caminhantes da vida de sublimação.

Quando não encontram sintonia direta contigo, sincronizam com outros, frívolos e desditosos, que se voltam contra ti e tentam aturdir-te mediante sutis processos obsessivos que padecem.

> **ATURDIR**
> Perturbar a mente ou os sentidos, dificultar o raciocínio [de] (alguém ou de si próprio); atordoar(-se), estontear(-se), tontear(-se).

Multiplicam-se os conflitos na Terra por invigilância de ambos os seus habitantes: físicos e espirituais.

Quando abraças um ideal de beleza e de engrandecimento moral e espiritual, despertas, nessas consciências ultrajadas, antipatias e animosidades, desejos de interromper-te a marcha.

> **EMURCHECER**
> Tornar(-se) murcho; perder a vitalidade, o frescor.

Quantas florações de amor emurchecem e morrem ante a ardência de maldades, da crueza de perseguições e da tormentosa inveja de outros companheiros de lutas!?

Diariamente, pessoas forradas de bons sentimentos iniciam empreendimentos enobrecedores e logo, ao invés de receberem apoio, são excruciadas em perseguições gratuitas.

> **EXCRUCIAR**
> Causar ou sentir grande aflição; atormentar(-se), martirizar(-se).

Algumas, não possuindo resistências morais suficientes, sensíveis à crítica destrutiva, por serem almas sonhadoras e nobres, abandonam a jovem sementeira de amor, que morre ou é vencida pelas ervas daninhas...

Não faltam esses críticos de plantão, ociosos e atormentados, que a tudo patrulham e se apropriam, formando a malta de perseguidores.

Arrogam-se como modelos, proclamam a sua liberdade de falar e agir, fiscalizando a dos outros, que tentam proibir e silenciar.

Não os temas, nem lhes consideres as torpes condutas.

Jesus não transitou sem enfrentar-lhes a crueldade, a hipocrisia, mas não lhes deu maior importância.

Permanece irretocável no teu dever, fiel à consciência da fé, e aceita o testemunho, agradecendo a Deus.

MALTA
Conjunto ou reunião de gente de condição inferior.

ARROGAR
Tomar como seu, atribuir a (alguém ou si próprio) direito a (um privilégio, poder etc.).

IRRETOCÁVEL
Que não exige retoque; acabado, perfeito.

Sempre convém recordar que o Mestre não prometeu o reino do mundo material, nem a eloquência ilusória dos louros terrestres.

Ele próprio preferiu a incompreensão, o abandono, a sordidez dos que se Lhe fizeram inimigos espontâneos e não desdenhou a cruz, transformando-a de instrumentos de punição que era em asas de luz para voar no rumo do Infinito.

Lamentas a incompreensão que se expande nos arraiais da fé que esposas.

Sofres ante o comportamento esdrúxulo daqueles que se afirmam pertencentes à grei da fraternidade.

Padeces o látego aplicado por mãos que antes afagavam as tuas e surpreendes-te.

Observas o júbilo e a crueza daqueles que te premiam com a difamação e sentes o descoroçoar das forças...

Não te facultes esse luxo, permanecendo fiel ao trabalho que eleva e dignifica.

LOUROS
(Fig.) Lauréis, glórias, triunfos.

ESPOSAR
Aceitar e defender.

GREI
Grupo formado por pessoas que se unem com um fim determinado; grupo, grêmio, sociedade.

LÁTEGO
Correia ou corda própria para açoitar; chicote, açoite, azorrague.

DESCOROÇOAR
Tirar ou perder a coragem; acovardar(-se).

Não lhes respondas, não os antipatizes na faixa vibratória em que estão. É isso que desejariam para alimentar o ódio e a perturbação.

Sua ira os consome com rapidez e o seu é o triunfo de Pirro, ante a exaltação do próprio *ego*, que se atribui superioridade em relação aos demais.

Eles passarão, enquanto o bem prosseguirá iluminando o planeta.

O sentido da existência humana é viver conforme as circunstâncias, tornando-as melhores e ampliando o círculo da alegria e da saúde em todos os seus aspectos.

Quem serve a Jesus não dispõe de tempo para as defesas pessoais, para as refregas do orgulho e da inutilidade.

Testemunha a qualidade do teu ideal mediante o comportamento à hora da refrega, da tempestade.

Não te permitas sofrer em razão dos ataques desferidos contra ti.

Mantém o ânimo jovialmente, recordando que o Espiritismo que amas é luz inapagável, promessa de Jesus, que a cumpriu através de Kardec e dos seus cooperadores de ambos os planos da Vida.

Também eles provaram a perseguição inclemente dos seus contemporâneos e permaneceram fiéis.

⚜

Na alvorada luminosa da Era Nova, ainda permanecem as sombras teimosas da noite demorada.

Mantém acesa a tua lâmpada de amor, trabalhando-te e servindo sem cansaço nem inquietação, louvando Aquele que te conduz à Vida cercado de carinho.

...E nunca te entristeças com o aguilhão abençoado que te impulsiona ao avanço...

PIRRO
Triunfo ou vitória de Pirro é uma expressão utilizada para se referir a uma vitória obtida a alto preço, potencialmente acarretadora de prejuízos irreparáveis.

REFREGA
Combate entre forças ou indivíduos inimigos entre si; luta, confronto.

ALVORADA
A primeira claridade, o crepúsculo da manhã.

AGUILHÃO
(Por ext.) Ponta perfurante, espinho ou acúleo.

NOTAS

NOTAS

NOTAS

NOTAS